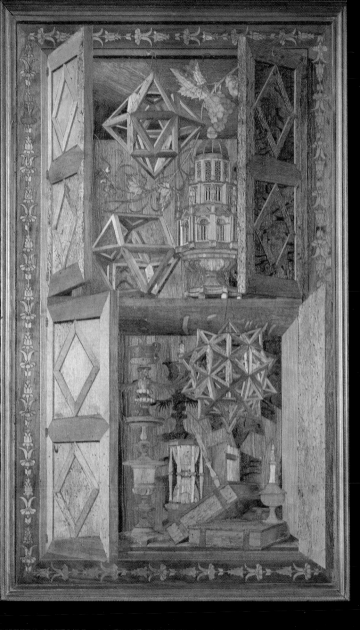

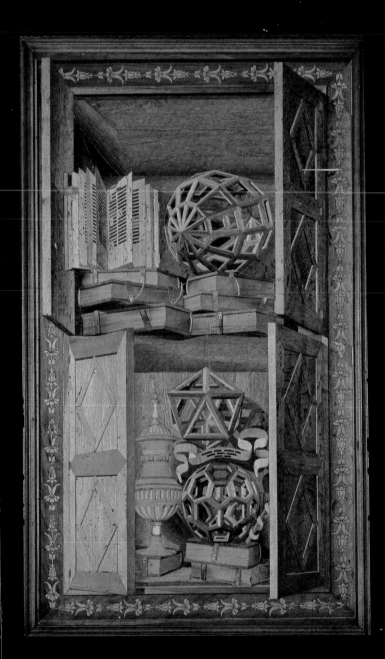

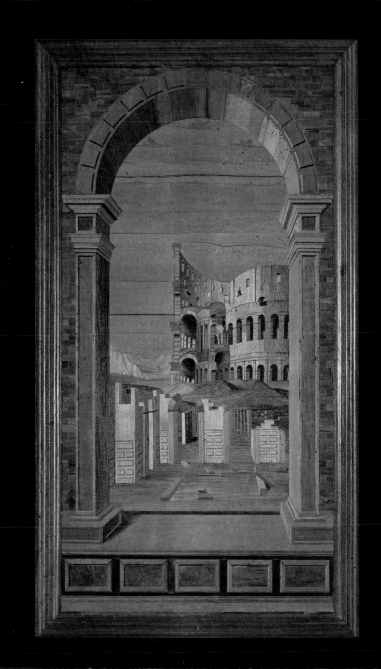

Philippe Comar,
artiste plasticien,
enseigne au
département de
morphologie à l'Ecole
nationale supérieure
des Beaux-Arts de
Paris, dont il a été
l'élève. Il a exposé
au Centre Georges-
Pompidou et à la
Biennale de Venise.
Il a été le concepteur
entre 1984 et 1987
de l'exposition
permanente *Sténopé*
présentée à la Cité
des Sciences et de
l'Industrie de la
Villette, consacrée
à la perspective et
à la représentation
de l'espace.

*Dépôt légal : mars 1992
Numéro d'édition : 74212
Dépôt légal : octobre 1995*
ISBN : 2-07-053185-6
*Imprimerie Kapp Lahure Jombart
à Évreux*

LA PERSPECTIVE EN JEU
LES DESSOUS DE L'IMAGE

Philippe Comar

DÉCOUVERTES GALLIMARD
SCIENCES

Devant une carte d'Italie, on dira : «C'est l'Italie.» Pourtant, chacun sait qu'entre ce vrai pays qu'on nomme l'Italie et un simple contour sur une feuille de papier, il existe une différence. Mais alors, par quel miracle une image peut-elle faire voir, du premier coup d'œil, une chose alors que précisément elle n'est pas cette chose?

CHAPITRE PREMIER
LE COMPAS DANS L'ŒIL

"On dira sans préparation et sans façon d'un portrait de César, que c'est César; et d'une carte d'Italie, que c'est l'Italie.**"**
Logique de Port-Royal

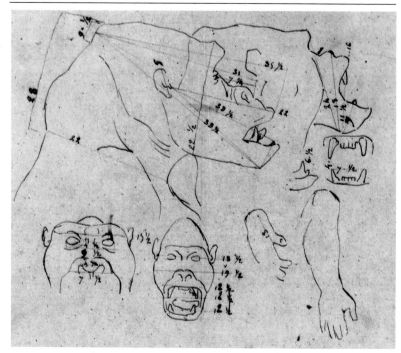

Le dessin d'une figure humaine sur une tombe égyptienne est, par son aspect, aussi éloigné d'une photographie judiciaire que cette dernière l'est d'un portrait peint par Picasso. Cependant, chacune de ces images entretient un rapport visible avec ce qu'elle représente, et leur différence ne tient pas tant dans le sujet que dans la manière de le traduire.

Aucune image ne parvient à épuiser l'idée d'une chose, elle n'est qu'une partie de son scintillement, un fragment de son spectre, comme si le visage d'un homme avait autant de faces qu'il y a de regards différents pour le voir. Cette diversité des images à laquelle nous sommes confrontés, à propos d'un même objet, pose le problème de la ressemblance. En quoi un portrait ressemble-t-il à son modèle ? Aux yeux de qui ? Selon quels critères ? Est-il si évident de dire, devant quelques traits sur une feuille de papier, que c'est César ou l'Italie ?

Compter ses pas, évaluer des écarts, mesurer des distances permet d'établir des relations géométriques dans l'espace. Mais encore faut-il savoir choisir les points entre lesquels on effectue ces mesures pour qu'une valeur numérique ait un sens, pour qu'elle puisse être additionnée, comparée, mémorisée.

La géométrie est une grammaire possible des ressemblances

La ressemblance d'une image avec son objet ne saurait reposer sur les seules lois de la géométrie – lumière, couleur, matière sont autant de domaines qui lui échappent –, mais elle ne saurait non plus s'y soustraire tout à fait pour deux raisons simples. L'une, parce que le support d'une image est lui-même un espace géométrique, il en subit donc les lois. L'autre, parce que la géométrie peut être considérée comme la science même des ressemblances. C'est là son objet principal : établir entre les formes des similitudes, des affinités, des correspondances, tout un monde sous-jacent de relations qui permettent de mieux comprendre, à la fois, les formes elles-mêmes et la nature de l'espace où elles se déploient.

Ainsi, pour comparer une image à son objet, les mathématiciens cherchent quelles transformations de l'espace permettraient de passer de l'une à l'autre. Et c'est par ces métamorphoses qui vont du simple déplacement aux distorsions les plus extravagantes, qu'ils révèlent les parentés, signalent les dissemblances.

Léonard de Vinci cherche à mettre en évidence l'organisation des formes naturelles. Ici, il superpose au bouquet d'un arbre les courbes de croissance qui s'étagent à chaque niveau de ramifications.

Villard de Honnecourt, vers 1230, combine figures et tracés régulateurs. Deux musiciens épousent les branches d'une étoile, un fauconnier s'accorde à un triangle, un soldat révèle les diagonales de son anatomie. Les corps et la géométrie s'excitent mutuellement dans cette gymnastique.

L'espace et ses doubles : l'art de la réplique

Que peuvent bien avoir en commun des choses aussi différentes qu'un collier de perles, les rayons d'une roue de bicyclette, les papiers peints anglais, une dentelle de napperon, la verrière d'un building ou les pétales d'une tulipe ?

De tous ces éléments disparates se dégage l'idée familière de répétition. Aux yeux des mathématiciens, il s'agit là de l'opération géométrique la plus élémentaire : répéter une forme, la dupliquer, équivaut à la déplacer dans l'espace en conservant intactes ses mesures.

Cette idée de répétition est à l'origine d'un art décoratif basé sur la série : art que l'on retrouve des civilisations les plus anciennes jusqu'à nos jours, et qui cherche à orner les murs, couvrir les sols, remplir les espaces vides en reproduisant toujours le même motif selon des lois de répartition précises. Alternance de vides et de pleins, simple dédoublement de thèmes ou récurrence marquée,

Les zelliges sont des mosaïques en terre cuite émaillée. L'extraordinaire diversité de ces pavages laisse supposer des possibilités d'agencement infinies. L'étude montre en fait que les combinaisons sont limitées et que toute répartition régulière d'un même élément sur un plan ou dans l'espace peut se rapporter à un certain nombre d'archétypes, ou classes primitives. Dans un plan, les mathématiciens ont montré qu'il n'existe que 17 classes possibles, combinables entre elles lorsque le motif de base présente des symétries – ce qui porte alors à 51, au maximum, le nombre des variantes. Dans l'espace à trois dimensions, ces réseaux élémentaires peuvent être portés à 230.

"Pour remplir l'étendue, la nature doit répéter à l'infini chacune de ses combinaisons originales [...]. Toujours et partout le même drame, le même décor, sur la même scène étroite [...]. L'univers se répète sans fin et piaffe sur place.**"**

Auguste Blanqui,
L'Éternité par les astres

enchaînement de figures à la file ou en quinconce, déplacement par rotation ou symétrie : les combinaisons peuvent varier à l'infini, suivre toutes les fantaisies de l'imagination, elles se répètent sur fond d'un espace stable qui les protège de l'imprévu.

En considérant un porte-bouteilles en fer galvanisé, acheté au Bazar de l'Hôtel de Ville, comme une œuvre d'art, Marcel Duchamp limite son intervention à un simple choix, une décision. Il s'approprie la chose en la transformant en sa propre image. Ce *ready made* qui date de 1914 pourrait être considéré, du point de vue géométrique, comme une transformation nulle : l'opération identique.

Première écriture de la pensée humaine aux prises avec l'espace, l'art ornemental instaure le rythme. La ligne devient frise ou galon ; le plan, pavage ou patchwork. L'espace n'est plus uniforme mais ponctué à intervalles réguliers, scandé au gré d'une série : alignements mégalithiques de Carnac, frises gréco-romaines, tapis persans, brocarts turcs, enluminures du Moyen Age, tissus Jacquard, toiles de Jouy… jusqu'aux boîtes de soupes Campbell. Mais c'est surtout la civilisation de l'Islam – refusant selon la tradition coranique de représenter en image les créations de Dieu – qui a poussé cet art répétitif au sommet de la perfection avec les mosaïques et les pavages de céramique.

Reproduire une chose, en établir une copie conforme, permet d'en changer la localisation. Pourtant, cet art de la répétition recouvre aussi le mythe du double parfait : l'identique. Construire un fac-similé au même endroit, c'est-à-dire réaliser un faux qui soit vrai. Cette opération, qui correspond à un déplacement nul, crée une image qui se superpose à l'original jusqu'à s'y confondre et disparaître en lui. Jorge Luis Borges, dans l'un de ses recueils de nouvelles, *Histoire de l'infamie*, nous fait partager ce rêve de faussaire. Il imagina un empire où les cartographes étaient si soucieux du détail qu'ils finirent par lever «une Carte de l'Empire qui avait le Format de l'Empire et qui coïncidait avec lui, point par point».

Toutes proportions gardées : un empire aux dimensions neuves

Une carte de France qui aurait la taille de la France ne ferait que reproduire telle quelle la complexité du monde visible, doublant les apparences sans les dédoubler. Cette carte non «dé-mesurée» ne serait d'aucune utilité. Impossible d'y établir son itinéraire, de voir d'un coup d'œil la ville d'où l'on vient, celle où l'on va, les détours qu'on devra faire pour aller de l'une à l'autre. Changer d'échelle, c'est là tout l'art du cartographe et du maquettiste.

Agrandir ou réduire est une transformation géométrique qui conserve les proportions, c'est-à-dire l'équilibre interne des formes, mais elle change les mesures qui sont toutes augmentées ou diminuées dans un même rapport. Les mathématiciens parlent ici de «similitude» entre figures.

Ces changements d'échelle, s'ils sont théoriquement toujours possibles, posent de sérieux problèmes. Il est peu probable que Gulliver ait rencontré, ailleurs que dans les pages d'un livre, des géants et des Lilliputiens. En modifiant l'échelle, on modifie du même coup des notions comme la densité ou le temps qui semblent, à première vue, distinctes du problème de la dimension.

Une carte est un modèle réduit de l'espace réel. Elle permet de simuler une vue d'ensemble là où le simple regard se heurte aux limites de la vision. Pour transposer les éléments intelligibles de la carte sur les éléments visibles de la réalité, il faut faire coïncider le modèle réduit et l'original. Deux conditions sont requises : orienter correctement la carte, et rechercher le seul point qui se superpose exactement à l'endroit qu'il représente, le «vous êtes ici» des plans d'orientation. Un œil placé en ce point, le centre d'homothétie, pourrait faire correspondre tous les points de la carte avec ceux du pays.

"A l'inverse de ce qui se passe quand nous cherchons à connaître une chose ou un être en taille réelle, dans le modèle réduit *la connaissance du tout précède celle des parties*. Et même si c'est là une illusion, la raison du procédé est de créer ou d'entretenir cette illusion, qui gratifie l'intelligence et la sensibilité d'un plaisir qui, sur cette seule base, peut déjà être appelé esthétique."

Claude Lévi-Strauss, *La Pensée sauvage*

Au XIXᵉ siècle, les zoologistes s'étonnaient que les ailes soient, en proportion du corps, beaucoup plus longues chez les grands oiseaux que chez les petits. Un moineau agrandi ne ressemblerait ni à un albatros ni à un aigle. L'explication est pourtant simple : en multipliant la longueur d'un oiseau par deux, sa surface serait multipliée par quatre et son volume par huit. L'oiseau serait donc huit fois plus lourd mais la surface de ses ailes ne serait que quatre fois plus grande. A densité égale, il serait inapte au vol !

De même une carte ne saurait être investie des mêmes lois que l'espace où nous nous mouvons. Une image est un monde en soi, et ses règles lui sont dictées par sa forme.

Les plans en relief sont des maquettes exécutées avec minutie à des fins militaires à partir du XVIIᵉ siècle. Jalousement gardés comme des secrets, ils offraient aux stratèges le privilège d'un regard omnivoyant. Changer d'échelle, c'est changer de point de vue, avantage déterminant à une époque où la photographie aérienne n'existait pas.

Abandonner la proie pour l'ombre

Une jeune fille, afin de garder la trace de son bien-aimé partant pour l'étranger, aurait cerné d'un trait l'ombre de son visage projetée sur une paroi. C'est une des légendes grecques qui fixe la naissance de l'image. Ce compromis entre l'amour et la géométrie nous pousse à une rêverie rationnelle sur les liens qui unissent un objet à son ombre. Comment renoncer aux qualités corporelles d'un objet, ou d'un être, sans lui ôter aussitôt sa signification ou sa présence ?

Pour s'en tenir encore au seul domaine de la géométrie, on sait qu'une ombre ne transpose pas un objet sans en altérer la forme. L'ombre que fait une

Face panchante,   Face renuersée.

grille sur le sol varie selon la position du soleil.
Le quadrillage se raccourcit ou s'étire, les angles
se modifient, mais toutes les lignes parallèles dans
la grille restent toujours parallèles
dans l'ombre. Le mathématicien
nomme cette relation entre un
objet et sa projection solaire,
une «affinité».

A l'inverse d'un simple
agrandissement ou d'une réduction,
cette transformation ne conserve
pas les proportions internes des
objets, car les formes tantôt se
compriment tantôt se dilatent,
selon un axe privilégié, comme
notre ombre qui, au coucher du
soleil, s'allonge démesurément
sans pour autant s'élargir.

Développée en volume, cette
transformation correspond à une
compression ou à un étirement de
l'espace dans une direction donnée.
Une sphère se métamorphoserait
en ellipsoïde, un ballon de football
en ballon de rugby. Nous-mêmes,
soumis aux caprices de cette
géométrie des dilatations, nous
serions transfigurés comme dans
une glace déformante, le visage
tassé à l'horizontale pareil à une
lentille, ou bien allongé – qui sait ? –
à l'infini.

Ne pouvant dresser
un inventaire
exhaustif des formes
humaines, Dürer,
dans son *Traité des
proportions*, publié
en 1528, propose de
recréer tous les types
morphologiques par
transformation d'un
modèle standard.
La compression ou
l'étirement est une des
méthodes employées.

Objet d'une
métamorphose
continuelle, une forme
est une apparence
fugitive. Grandville,
au XIXe siècle, étire
chacun selon ses
penchants (ci-dessus
et à gauche). Marcel
Proust justifie certains
anachronismes de son
œuvre par «la forme
aplatie que prennent
mes êtres en révolution
dans le temps».

Une géométrie à la rencontre de l'infini

Les Grecs ont jeté les bases d'une géométrie où deux droites parallèles ne se rencontrent jamais. Mais dans leurs traités d'optique, ils supposent qu'elles concourent en s'éloignant.

L'architecte Ictinos, deux siècles avant Euclide, a fixé cette hypothèse dans la pierre. Aucune des colonnes du Parthénon à Athènes n'est verticale. Elles sont toutes inclinées de quelques centimètres vers l'intérieur de l'édifice. Ce raffinement, parmi beaucoup d'autres, donne au monument, plus large à sa base qu'en sa partie haute, une silhouette pyramidale. La convergence des colonnes, que nous supposons parallèles, précipite dans une direction l'image de l'infini et confère au temple une échelle surhumaine. C'est une géométrie tendue vers ses limites, à la mesure des dieux.

Pour le mathématicien, cette transformation s'apparente à une «homographie». Elle réalise en volume ce que les peintres de la Renaissance développeront dans leur perspective plane, lorsqu'ils feront, par exemple, converger sur le tableau les lignes parallèles d'un carrelage vers un point de fuite qui représente l'infini. Cette transformation géométrique qui ne conserve ni la mesure des objets, ni la valeur des angles, ni le parallélisme des droites, conserve néanmoins l'alignement des points entre eux : une droite reste toujours droite.

Dans les transformations précédentes, l'espace était modifié de façon régulière, agrandi ou réduit, étiré ou compressé. Mais ces changements d'échelles n'ôtaient pas à l'espace infini sa dimension infinie. La moitié ou le millième d'une quantité infinie reste toujours infinie. Au contraire,

Les 46 colonnes du Parthénon, construit au Vᵉ siècle av. J.-C., convergent en un point situé à plus de 2 000 mètres d'altitude. Ce point de concours n'est autre que la représentation d'un point qui serait à l'infini si les colonnes étaient parallèles.

ici, en resserrant progressivement l'espace dans une
direction donnée jusqu'à atteindre la limite de
l'infiniment petit, on représente l'infiniment grand.

Les dessous du Parthénon

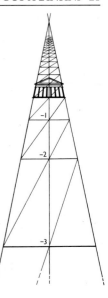

Ce resserrement de l'espace dans une direction a pour
contrepartie un épanouissement dans le sens inverse.
En prolongeant la construction du Parthénon en sous-
sol, non seulement les étages inférieurs seraient de
plus en plus larges, mais surtout, les écarts entre les
niveaux augmenteraient avec une progression
vertigineuse. Cet accroissement serait tel qu'il est
aisé pour le mathématicien de démontrer l'existence
d'un étage souterrain limite, en dessous duquel le
suivant serait rejeté à une distance infinie.

   Le Parthénon est ainsi placé entre deux pôles qui
semblent faire figure de paradoxe : au–dessus, un
point proche qui borne l'infiniment loin ; au-dessous,
un abîme sans fond dans lequel ne pourraient
s'inscrire que quelques étages du sous-sol. A
convoquer l'infini dans un sens, on le perd
dans l'autre.

Les ébrasements
d'un porche de
cathédrale, avec ses
voussures successives,
créent un espace en
entonnoir, accélérant la
perspective et donnant
l'illusion que le portail
est placé au bout d'un
tunnel. C'est une sorte
de sas symbolique
entre le monde profane
et le monde sacré, dont
la profondeur fictive
rappelle à celui qui s'y
engage que la mesure
de ce lieu est d'un
autre ordre.

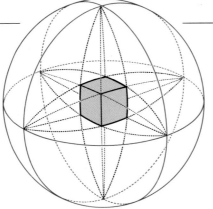

On peut construire un modèle de l'espace entier à l'intérieur d'une sphère, en considérant cette enveloppe comme l'image de tous les points qui sont à l'infini. Cette transformation change les droites en courbes : les parallèles convergent en deux points de la sphère situés aux antipodes l'un de l'autre.

D'un infini à l'autre : l'univers suspendu

Le désir de cerner l'infini en tous sens a poussé les mathématiciens et parfois les peintres à imaginer des transformations géométriques capables de représenter l'univers entier dans un espace limité. Mais l'univers ne s'accommode de cette restriction qu'au prix d'une refonte complète de notre géométrie la plus usuelle. La rectitude des droites est dans ce cas délaissée au profit d'une géométrie courbe : les formes s'incurvent, se tordent comme si elles étaient observées dans un miroir bombé, et les lignes parallèles finissent par converger en deux points opposés. D'un infini à l'autre, rien n'échappe à cette saisie du monde. Une même loi appréhende le détail et la vision d'ensemble. L'univers est confiné à l'intérieur d'une bulle hors de laquelle tout n'est que néant.

Aussi, l'observateur qui s'imagine en dehors, qui échappe à ce resserrement extrême – tel Dieu dans *La Création du monde* de Jérôme Bosch – fait l'expérience visuelle, somme toute assez rare, de saisir d'un coup d'œil l'infini dans les trois directions de l'espace.

Pour Jérôme Bosch, dans *La Création du monde*, la sphère est le modèle parfait de la pensée cosmogonique. Elle est comme l'œuf, à la fois le creuset de la matière qui est source de vie, et le modèle abouti, l'univers saisi dans sa plénitude : la création achevée. Cette interprétation sphérique, qui est aussi une opération géométrique, offre une vision globale du monde, elle en donne la mesure. Elle construit un espace total, universel, autour duquel tout n'est que néant – hors Dieu.

Un damier transformé par inversion ressemble à une rosace. L'extérieur se retrouve au milieu et la case centrale s'étale à la périphérie.

En dépit du bon sens, l'univers à la renverse

La géométrie rejoint parfois le fantastique. Imaginons l'aventure d'un enfant qui, pour s'occuper sur la plage, tente de retourner le ballon qu'il a entre les mains, de mettre l'envers à l'endroit comme on le fait d'un gant. A mesure qu'il chasse hors de son enveloppe le volume d'air contenu dans le ballon, l'espace extérieur est aspiré au-dedans, c'est-à-dire l'enfant lui-même, la plage, la planète, enfin l'espace sidéral tout entier. L'infini mis à l'étroit et le centre du ballon expulsé dans toutes les directions.

Ce retournement est pour le mathématicien une «inversion» de l'espace. S'il est aisé d'en concevoir le principe, cette transformation ne laisse pas d'intriguer tant elle semble délicate à concrétiser sans mettre aussitôt en péril la présence de l'observateur. L'espace qui en résulte renvoie sans doute moins aux structures réelles de l'univers qu'à celles de l'imagination, bien qu'il nourrisse à sa manière cette croyance qu'il existe un anti-monde, strictement négatif du nôtre. L'image conjecturale paraît s'évanouir du seul fait d'être envisagée, elle n'est plus, comme la sphère, le modèle de la création accomplie dans toutes ses dimensions mais

plutôt le modèle d'un espace qui se dévore lui-même jusqu'à engloutir son créateur. Image d'un monde qui s'annihile de n'avoir plus aucun témoin, une vision d'apocalypse comme le suggère Jean Genet dans *Notre-Dame des fleurs* : «Il m'est arrivé […] d'embrasser ma main, puis encore, n'en pouvant plus d'émotion, de désirer m'avaler moi-même en retournant ma bouche démesurément ouverte par dessus ma tête, y faire passer tout mon corps, puis l'Univers, et n'être plus qu'une boule de chose mangée qui peu à peu s'anéantirait : c'est ma façon de voir la fin du monde.»

Tous semblables, encastrés les uns dans les autres, ces lézards imaginés par Escher en 1956 forment un pavage régulier, mais inversé. Malgré leur agilité, ils ne peuvent échapper aux lignes de construction qui les ramènent vers le centre, creusant une sorte de siphon par où se résorbe l'étendue infinie du plan.

Le monde à l'envers! La pièce a subi une inversion totale, selon une géométrie analogue à celle qui transforme le grain de maïs en pop-corn. L'enveloppe de la pièce s'est repliée au centre, alors que l'intérieur s'est déployé en dehors, donnant à la colonne qui supporte le plafond la forme d'une anse de panier.

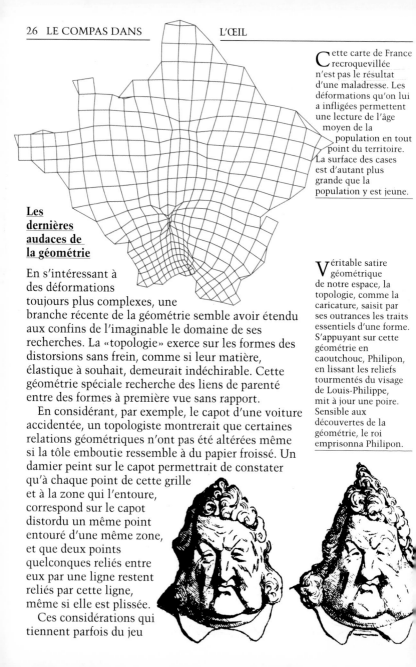

Cette carte de France recroquevillée n'est pas le résultat d'une maladresse. Les déformations qu'on lui a infligées permettent une lecture de l'âge moyen de la population en tout point du territoire. La surface des cases est d'autant plus grande que la population y est jeune.

Les dernières audaces de la géométrie

En s'intéressant à des déformations toujours plus complexes, une branche récente de la géométrie semble avoir étendu aux confins de l'imaginable le domaine de ses recherches. La «topologie» exerce sur les formes des distorsions sans frein, comme si leur matière, élastique à souhait, demeurait indéchirable. Cette géométrie spéciale recherche des liens de parenté entre des formes à première vue sans rapport.

En considérant, par exemple, le capot d'une voiture accidentée, un topologiste montrerait que certaines relations géométriques n'ont pas été altérées même si la tôle emboutie ressemble à du papier froissé. Un damier peint sur le capot permettrait de constater qu'à chaque point de cette grille et à la zone qui l'entoure, correspond sur le capot distordu un même point entouré d'une même zone, et que deux points quelconques reliés entre eux par une ligne restent reliés par cette ligne, même si elle est plissée.

Ces considérations qui tiennent parfois du jeu

Véritable satire géométrique de notre espace, la topologie, comme la caricature, saisit par ses outrances les traits essentiels d'une forme. S'appuyant sur cette géométrie en caoutchouc, Philipon, en lissant les reliefs tourmentés du visage de Louis-Philippe, mit à jour une poire. Sensible aux découvertes de la géométrie, le roi emprisonna Philipon.

d'enfant ou de la haute abstraction, visent à étudier les relations minimales qui permettent de dire que deux objets sont du même ordre, que géométriquement ils se «ressemblent». Un topologiste ne s'offusquerait pas de représenter un escabeau par une tranche de gruyère en montrant par une déformation continue le passage de l'un à l'autre. Mais à l'inverse, deux escabeaux dont l'un présenterait simplement une

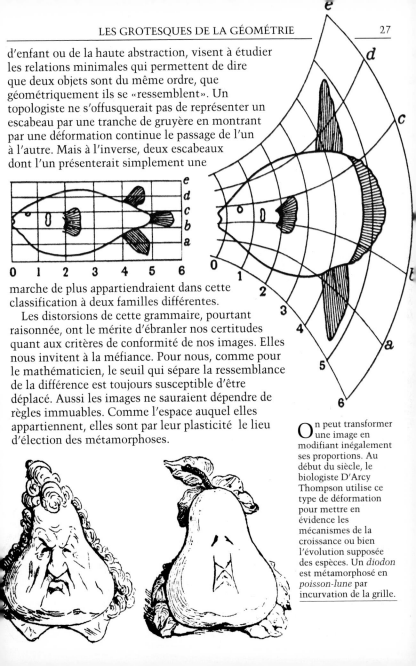

marche de plus appartiendraient dans cette classification à deux familles différentes.

Les distorsions de cette grammaire, pourtant raisonnée, ont le mérite d'ébranler nos certitudes quant aux critères de conformité de nos images. Elles nous invitent à la méfiance. Pour nous, comme pour le mathématicien, le seuil qui sépare la ressemblance de la différence est toujours susceptible d'être déplacé. Aussi les images ne sauraient dépendre de règles immuables. Comme l'espace auquel elles appartiennent, elles sont par leur plasticité le lieu d'élection des métamorphoses.

On peut transformer une image en modifiant inégalement ses proportions. Au début du siècle, le biologiste D'Arcy Thompson utilise ce type de déformation pour mettre en évidence les mécanismes de la croissance ou bien l'évolution supposée des espèces. Un *diodon* est métamorphosé en *poisson-lune* par incurvation de la grille.

« Comme le peintre doit supposer un seul point pour voir sa peinture, tant en hauteur qu'en largeur et de biais comme de loin, afin qu'on ne pût se tromper en la regardant, puisque tout changement de lieu entraîne une vision différente, il avait fait dans le panneau supportant cette peinture un trou au point exact où frappait le regard. »

Antonio Manetti

CHAPITRE II
UN ŒIL EN TROP

Au milieu du déluge et de la tourmente, seule l'Arche de Noé avec sa construction rigoureuse, ses lignes qui convergent vers un point de fuite, laisse entrevoir une issue pour sortir de la confusion. Une partie de l'Histoire est engloutie, un autre âge commence lorsque Uccello achève *Les Scènes de la vie de Noé.*

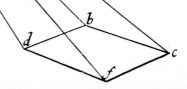

Jusqu'au XVᵉ siècle, en Occident, les représentations picturales privilégient presque toujours les qualités narratives de l'image aux dépens d'une observation réaliste. Le tableau se déploie selon une logique propre, et ses lois ne miment que de loin celles qui régissent l'espace où nous nous mouvons. Le fresquiste, l'enlumineur ou le miniaturiste, transposent plastiquement une connaissance abstraite du monde. Hiérarchies religieuses et sociales sont converties en échelle physique : les dieux plus grands que les saints, les rois plus grands que leurs sujets. Un même personnage peut apparaître plusieurs fois dans une composition. Le tableau est le support d'une mise en scène qui ne recherche ni l'unité d'espace ni l'unité de temps.

Mais à partir de la Renaissance, les artistes ne projettent plus sur le monde la connaissance a priori qu'ils ont de l'univers. Ils ne sont plus des émetteurs dont les yeux lanceraient des rayons s'emparant des objets comme chez Euclide ; ils deviennent plutôt des récepteurs du monde visible dont l'œil, selon la formule du sculpteur florentin Filarète, attire l'image de l'objet vers l'intellect comme un aimant la limaille de fer.

Vers 1415, Filippo Brunelleschi réalise sa première expérience sur la place San Giovanni à Florence

Pour une fois ce n'est ni l'élégance de la cathédrale Santa Maria del Fiore, ni les marbres verts et blancs du baptistère San Giovanni, situé juste en face, qui émerveillent les Florentins. Pourtant, c'est sur ce parvis, du côté du portail de la cathédrale, que des

Comme dans l'icône traditionnelle, la frontalité de la Vierge, dans le *Polyptyque de la Miséricorde* de Piero della Francesca, l'aplat d'or qui nie la profondeur, les différences d'échelle relèvent des conventions picturales du Moyen Age. En revanche, abrités sous le manteau, comme sous une abside, les fidèles sont disposés de manière à suggérer entre eux un espace cohérent qui répond déjà aux nouvelles aspirations de la Renaissance.

Le peintre Paolo Uccello s'est représenté au côté de ses amis Donatello, Manetti et Brunelleschi (de gauche à droite). Les panneaux que ce dernier réalisa pour démontrer la validité de la perspective centrale sont perdus, mais son biographe Manetti en donne une description précise.

gens se pressent avec une certaine excitation autour d'un homme : Filippo Brunelleschi. Non seulement il a peint à la perfection, sur un petit panneau, une vue extérieure du baptistère, mais surtout – c'est l'essentiel – il a mis au point un dispositif qui permet de faire coïncider cette peinture avec l'édifice représenté.

Toutefois, pour que le tableau et le modèle se fondent l'un dans l'autre, pour qu'en regardant le premier transparaisse le second, le spectateur doit occuper un lieu si précis que seule une personne à la fois peut tenter l'expérience. Il faut prendre son tour avant de se tenir au point exact où l'image et l'objet se superposent et s'offrent au regard comme une seule et même chose.

Placé en ce point privilégié, le spectateur fixe le baptistère, non avec ses deux yeux, mais avec un œil en l'appliquant contre un trou, pas plus gros qu'une lentille, creusé dans une planchette : une *tavoletta*. Puis, saisissant d'une main un miroir, il le présente en face du trou. La vision directe de l'édifice est alors occultée, mais le reflet dans la glace dévoile l'image peinte au revers de la *tavoletta*. Et là, miracle ! Il croit voir la réalité même, la peinture donne à voir le vrai, elle se substitue à l'édifice avec une telle précision qu'il ne sait plus si c'est la peinture ou le baptistère qu'il voit.

Une véritable mise en scène pour regarder un tableau

La peinture sur la *tavoletta* pourrait naturellement être contemplée de face, sans faire appel au trou et au miroir. Mais le dispositif imaginé par Brunelleschi ne vise pas tant à «montrer» un tableau qu'à le «dé-montrer». Par cette expérience, il révèle les principes de cet art qui permet de construire sur une surface plane l'image d'un objet en volume : la *perspectiva artificialis*, par opposition à la *perspectiva naturalis* qui, elle, désignait à l'époque la science de l'optique.

L'image du baptistère sur la *tavoletta* est peinte selon les règles de cette «perspective artificielle», et plus précisément, une perspective dite «centrale», c'est-à-dire qui

L'expérience de Brunelleschi : d'une main on tient la *tavoletta* en appliquant son œil contre le trou au revers de la peinture, de l'autre on tient le miroir pour qu'elle s'y réfléchisse.

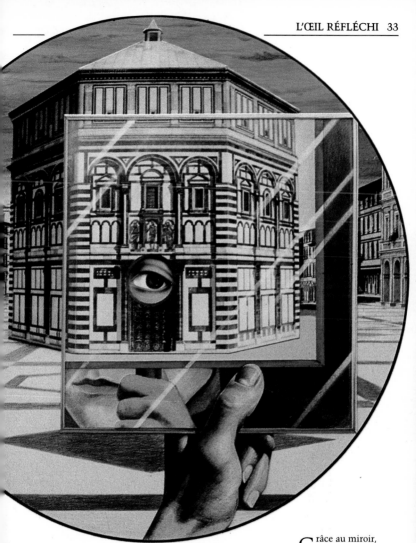

suppose un centre : un point de vue unique auquel il faut se rendre pour voir à son tour ce que le peintre a vu. L'œil doit se placer face à un point précis de la peinture : le «point principal» du tableau. Or, c'est ce point que Brunelleschi a choisi sur la *tavoletta* pour faire le trou qui sert d'œilleton.

Grâce au miroir, on démontre l'adéquation entre un objet et son image en perspective, en faisant coïncider une partie de l'édifice réel avec une partie de son image peinte.

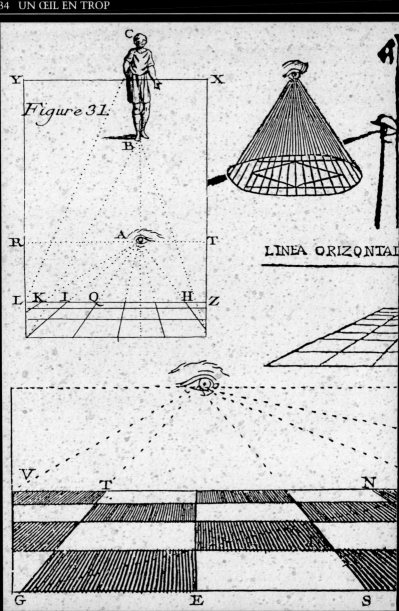

Figure 31.

LINEA ORIZONTAL

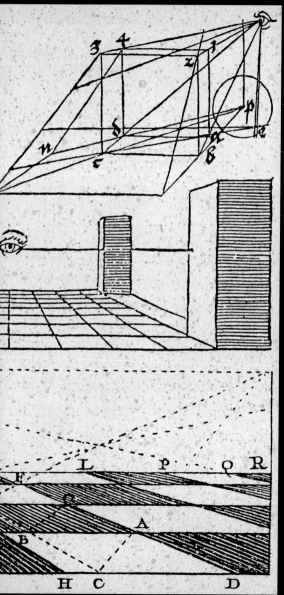

Toute l'histoire de la perspective centrale, de l'expérience de Brunelleschi jusqu'à ses développements les plus tardifs, a tenté d'exhiber l'œil du peintre (ou du spectateur) sur le plan même du tableau. Ce point originel, souvent confondu avec le point de fuite principal, parfois placé en marge de la composition, voire même dédoublé, a été nommé, selon les auteurs, «point du sujet», «point de l'œil», ou encore «point de vue transposé». Paradoxalement, en mathématique, l'œil, c'est-à-dire le centre de projection, est le seul point dont l'image n'est pas définie sur le plan du tableau. Ainsi le fondement même de la perspective repose sur une équivoque : le lieu d'où il faut voir un tableau ne peut jamais être montré par le tableau lui-même. Sauf à recourir à un artifice – tel le miroir dans le *Portrait des époux Arnolfini* de Van Eyck –, la place du peintre ou du spectateur est par essence un lieu invisible.

L'expérience permet ainsi de mettre en évidence ce
vis-à-vis obligé entre le «point de vue» du spectateur
et le «point principal» du tableau puisque ces deux
points sont ici confondus, repliés l'un sur l'autre
grâce à l'artifice du miroir. Mais surtout, en
inscrivant au cœur même de l'image la trace de l'œil
sous la forme d'un trou, l'expérience révèle la place
centrale que l'homme s'attribue désormais dans la
représentation de l'espace.

Par ce minuscule trou creusé dans la *tavoletta*,
quatre siècles de peinture vont s'engager, mais non
sans réticence et subterfuge pour y échapper, et
détourner cette contrainte en déplaçant partiellement
les objectifs de la peinture, refusant de s'en tenir à
cette perspective de cyclope, simple saisie
géométrique de l'espace visible.

D ans son traité
Della Pittura,
Alberti (ci-dessus)
propose une méthode
de construction
rigoureuse : la
costruzione legittima.
L'utilisation conjointe
du plan et du profil
permet de mettre en
perspective une figure.

Pour les théoriciens de la perspective, la peinture doit être «une fenêtre ouverte sur le monde»

Les premiers écrits sur la perspective centrale
reviennent à un architecte, littérateur et artiste,

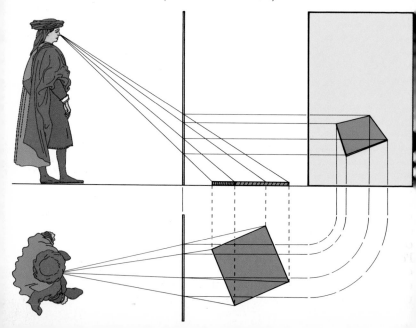

Leon Battista Alberti. Homme plus tourné vers la synthèse que vers l'expérience, c'est chez Brunelleschi qu'il puise les grands principes de la perspective. Il formule en 1435, dans son traité *Della Pittura*, les nouvelles exigences de la peinture : chercher à faire coïncider l'espace réel à trois dimensions et sa représentation sur un plan, soit projeter sur le tableau l'image perçue par un seul œil totalement immobile. «Je dessine un rectangle aussi grand que je veux, disait-il, et je le considère comme une fenêtre ouverte par laquelle je regarde tout ce qui, ici, sera peint.»

Pour mettre en perspective, Alberti propose une méthode de construction rigoureuse : la *costruzione legittima*. On calcule l'image de l'objet point par point en déterminant l'intersection des rayons visuels avec le plan du tableau. Cette méthode aboutit à la construction graphique que propose, quelques années plus tard, Piero della Francesca dans son traité manuscrit, *De Prospectiva pingendi* (la perspective du peintre).

Toutefois les artistes ne s'intéressent à la géométrie que pour la mettre au service de la peinture. *Come pictore scrivere*, «j'écris en tant que peintre», annonce Alberti dans la préface de son traité. La perspective est d'abord considérée comme un moyen, elle fournit des solutions pratiques pour construire l'image d'un objet en volume. C'est pour les peintres une façon d'apprendre à voir, de gouverner leur regard sur les choses. En fait, bien plus qu'une simple recette d'atelier, la perspective centrale reflète une nouvelle conception du monde. Et, même si ce n'est pas l'objectif avoué des peintres, elle constitue un moyen efficace pour repenser l'espace en termes cohérents, le domestiquer, et redistribuer les êtres et les choses sur une scène unique. Les constructions géométriques ne

Le *mazzocchio* est un couvre-chef en usage à Florence au XVe siècle. La mise en perspective de cette auréole à facettes était un exercice de virtuosité, un passage obligé pour qui voulait faire reconnaître son talent de peintre, de graveur ou de

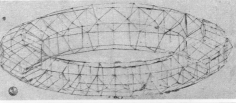

marqueteur. Piero della Francesca en expose la construction dans son traité *De Prospectiva pingendi*. La géométrie régulière de cet anneau polyédrique s'est imposée comme un symbole de pureté, une idée de perfection, une sorte de corps platonicien propre à la Renaissance italienne.

sont d'ailleurs qu'un aspect de cette recherche. En peinture, la restitution de la profondeur – le fondu d'un tableau – suppose la maîtrise des couleurs et des valeurs par l'emploi de dégradés qui affaiblissent les contrastes dans les lointains : la «perspective aérienne».

Au-delà des difficultés pratiques, ou des ambitions théoriques, l'image de la «fenêtre», à travers laquelle on regarde une portion du monde visible, constitue le modèle parfait de la perspective centrale. Léonard de Vinci et Albrecht Dürer en témoignent tous deux en proposant de dessiner directement sur une vitre, «la fenêtre de l'âme», c'est-à-dire l'œil, devant rester immobile.

A la conquête de l'espace infini

La *costruzione legittima*, présentée par Alberti, est d'un emploi délicat et reste limitée à la représentation d'objets dont on connaît au préalable les mesures exactes. En recherchant des méthodes plus expéditives, les peintres élaborent, deux siècles avant que les mathématiciens n'en établissent la théorie, des constructions géométriques qui prennent en compte ce qui échappe à toute mesure : l'infini. Ils mettent en jeu, pour la première fois dans l'histoire de la peinture, des notions de «ligne d'horizon» et de «point de fuite» puisqu'en perspective centrale des droites parallèles convergent à l'infini en un point du tableau. Il faut imaginer ce qu'il peut y avoir d'audacieux à désigner l'infini en lui donnant sur un tableau une trace aussi réelle que n'importe quel autre point de l'espace, et à construire l'image d'un monde mesurable à partir de points en vérité inaccessibles.

Les premières méthodes pour simplifier la *costruzione legittima* consistent essentiellement à faire concourir les lignes fuyantes d'un carrelage en vue frontale vers le point principal du tableau, qu'on nomme alors le «point de fuite principal».

L'artifice de la perspective consiste à traiter l'écran opaque du tableau comme la vitre transparente d'une fenêtre. *Perspicere*, en latin, signifie «voir à travers».

Par la perspective, le dessin fuit vers l'horizon lointain, mais il s'avance aussi et emprisonne le spectateur.[...] La porte s'ouvre sur l'infini, mais vous vous trouvez définitivement compromis.
Michel Tournier,
Gilles et Jeanne

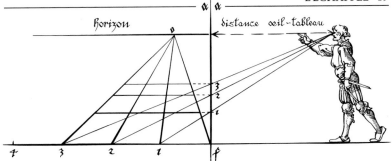

De nombreuses œuvres de cette époque trahissent encore par leur construction un peu gauche les doutes et les incertitudes de leurs auteurs. Compromis entre ce qu'ils savent et ce qu'ils voient, ces tiraillements sont la marque des efforts engagés pour donner du monde une image qui ne va pas de soi. Efforts que nous ne soupçonnons même plus, tellement la perspective centrale a été banalisée aujourd'hui par la photographie. En 1450, la perspective en est encore

Pour simplifier la construction légitime, la «voie abrégée» utilise le point de fuite principal, et échelonne en profondeur les lignes du carrelage, en combinant le tableau de face avec la vue de profil.

à élaborer sa grammaire. Peintres et géomètres s'épaulent mutuellement, la limite entre la théorie et la pratique existe, mais personne ne s'attache à la définir. En somme, l'inventeur du bouton rencontre l'inventeur de la boutonnière ; c'est le génie de la Renaissance.

Un siècle plus tard, le goût des classifications est déjà trop fort pour que Vasari, qui rédigea la biographie des plus grands artistes italiens, comprenne cette osmose exceptionnelle qui a rassemblé théoriciens et praticiens. Tantôt il reproche aux scientifiques d'avoir puisé leur savoir chez les artistes, comme le prétendu plagiat que Fra Luca Pacioli – l'illustre auteur de la *Divina Proportione* – aurait fait d'un ouvrage de Piero della Francesca ; tantôt il reproche aux peintres d'avoir trop versé dans la théorie : «La grande intelligence de Léonard lui fit commencer beaucoup de choses et n'en finir aucune, [...] dépensant plus de temps à parler qu'à agir.» Quant à Paolo Uccello qui passait des nuits entières enfermé dans son cabinet, répondant à sa femme qui le suppliait de le rejoindre : «Oh ! quelle douce chose que cette perspective !», Vasari considère qu'il en vint, à cause de ses préoccupations, «à demeurer seul comme un sauvage» car «il préféra gaspiller son temps à ces fantaisies et se trouva ainsi, pendant toute sa vie, plus pauvre que célèbre».

La perspective pose parfois plus de problèmes qu'elle n'en résout

«Eh ! Paolo ! Ta perspective te fait abandonner le certain pour l'incertain», s'écrie Donatello en voyant Uccello dessiner des copeaux. Si la mise en perspective d'une forme géométrique limitée par des plans ne pose pas de problème, il n'en va pas de même pour une épluchure de pomme de terre. La perspective s'applique aisément aux corps limités par des arêtes rectilignes, mais devient très vite complexe s'il s'agit de surfaces courbes et irrégulières. Dès lors, elle pose plus de problèmes qu'elle n'en résout pour la représentation des formes vivantes. Dürer est l'un des premiers à inscrire systématiquement ses figures dans

L oin des perspectives schématiques de Bosse (en bas à droite), ou cubistes de Cambiaso au XVIe siècle (à droite), le peintre Valenciennes dira en 1800 dans ses *Éléments de perspective pratique* que la représentation des corps vivants ne peut se faire que par «la perspective sentimentale – celle qui ne peut avoir d'autre règle que le sentiment acquis par une longue habitude».

L a géométrisation des formes en marqueterie se prête à tous les jeux de la perspective. Très en vogue à la Renaissance, cet art des stalles et des cabinets d'amateurs abrite derrière des vantaux inarticulés des trésors d'énigmes.

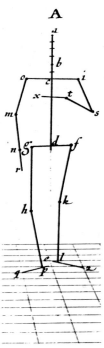

des formes géométriques simples. Ces mises en boîte du corps humain entraînent alors un regain d'intérêt pour les canons de proportions. En 1571, dans son *Livre de portraiture*, Jean Cousin tente d'établir avec une logique de «géomètre excellent» certaines règles pour mettre en raccourci une figure humaine. Préoccupation qu'on retrouve dans les interprétations cubistes de Cambiaso et Bracelli ou, au XVIIe siècle, dans les mises en perspective de figures en «fil de fer» d'Abraham Bosse.

Mais ce problème résolu en pose aussitôt un autre. La perspective centrale exige en théorie que le

Johannes de eyck fuit hic
1434

On peut rapprocher l'expérience de la *tavoletta* de Brunelleschi du *Portrait des époux Arnolfini* peint vingt ans plus tard par le Flamand Jan Van Eyck. Sur le mur du fond, un miroir bombé renvoie, minuscules, non seulement les époux de dos, mais surtout ce qui est en avant du tableau : deux personnes sur le seuil d'une porte. Placé comme un œil au centre de la composition, le reflet dans le miroir donne une clé, il montre la place d'où il faut contempler cette scène – place qui fut d'abord celle du peintre comme le rappelle l'inscription au-dessus du miroir : *Johannes de eyck fuit hic* (Jan Van Eyck a été là). Cette signature, une des premières de l'histoire de la peinture, est remarquable à plus d'un titre. Outre la place qu'elle occupe dans la composition, elle revendique, non pas la facture du tableau comme il sera d'usage par la suite (*fecit hoc* : a fait cela), mais la présence de son auteur comme témoin de la scène.

spectateur adopte le point de vue qui a présidé à la construction du tableau, sans quoi l'image apparaît déformée. Plus on s'écarte du point de vue, plus cette déformation est choquante ; or, personne – excepté dans l'expérience de Brunelleschi, où la perspective en est encore au «stade du miroir» – ne se soumet à cette condition du point de vue unique. Quelle est alors l'utilité, pour les peintres, d'étudier les proportions du corps humain si les figures apparaissent déformées et disgracieuses dès qu'on échappe au point de vue ? Cette apparente contradiction ne manque pas de laisser perplexes certains peintres quant aux fondements d'une perspective qui dénature les mesures.

"Tout portrait peint avec sentiment est un portrait de l'artiste, non du modèle."
O. Wilde,
Le Portrait de Dorian Gray

·VIATOR·

De la pratique à la théorie : la naissance des livres de perspective

Le premier traité de perspective imprimé est dû à Jean Pèlerin, dit le Viator. Lorsque ce chanoine de Saint-Dié, qui fut diplomate et secrétaire auprès de Louis XI, n'œuvre pas à l'unité de la France, il travaille à l'unité de l'espace pictural. Publié à Toul, en 1505, *De Artificiali Perspectiva* comporte une quarantaine de gravures sur bois d'une grande sobriété représentant principalement des édifices. Les explications se résument souvent à un tracé en perspective du plan au sol, accompagné de deux vers de huit pieds en guise de commentaire. Seules les premières planches fournissent un schéma de mise en perspective, mais le Viator, au regard de ses prédécesseurs, fait ici preuve d'une certaine habileté géométrique.

Présentant une méthode de construction à plusieurs points de fuite, il utilise pour la mise en perspective d'un carrelage, non seulement le point de fuite principal, mais encore les points de fuite des diagonales des carreaux, points situés, eux aussi, sur la ligne d'horizon. L'intersection des fuyantes frontales et obliques permet de mettre en raccourci le damier du carrelage. Cette construction adroite reste néanmoins encore limitée à quelques cas de figure; mais, dans son principe, elle permet de construire un plan en perspective et de le graduer en profondeur sans faire appel au plan et à l'élévation de la «construction légitime» d'Alberti.

De nombreux traités de perspective reprennent la méthode du Viator en la développant : en France, Jean Cousin; en Hollande,

Faire puet on tours/& portauг/ Telz qui plaira/riches/& beaux.

Le point de concours des diagonales, qui sert à déterminer le raccourci, s'obtient en rabattant sur l'horizon la distance qui sépare l'œil du tableau – d'où son nom «point de distance».

Vredeman de Vries; en Italie, l'ami de Véronèse, Daniele Barbaro. Plus tard, le géomètre Guidobaldo del Monte expose vingt-trois méthodes différentes et démontre pour la première fois en termes mathématiques que des droites parallèles convergent, à l'infini, en un point du tableau.

Les traités de perspective, en proposant de construire une image du monde selon un système préétabli, auraient dû conforter la peinture au rang des arts techniques et mécaniques, les arts qui simplement singent la nature; mais ils exercent une influence contraire. Les développements théoriques de la perspective donnent à la peinture le statut d'une discipline intellectuelle et concourent à la promouvoir au rang des «arts libéraux», les arts qui produisent des œuvres d'imagination comme la poésie ou la musique. En croyant, dans la perspective, se forger un outil pour reproduire l'espace visible, les peintres se sont en fait dotés d'un instrument infiniment plus doué qui leur permet de construire des espaces imaginaires, d'inventer des fictions qui sont apparemment aussi cohérentes, aussi vraisemblables, aussi vivantes que la réalité.

La mise en perspective du plan au sol sert de fondement au dessin. Vitruve, dans son traité d'architecture, nomme le plan «ichnographie», du grec *ichnos*, qui signifie le vestige ou l'empreinte qu'une chose laisse sur le sol. Ainsi, le plan est à la fois la première étape de la construction et l'ultime reste de l'édifice lorsqu'il est détruit. Suspendu entre l'acte fondateur et l'acte destructeur, le dessin est en même temps le projet et la trace d'une chose, comme le suggère ici Jean Cousin qui, sur l'épure du géomètre, édifie une ruine.

La construction perspective la plus économique de l'histoire

Les traités de perspective ne cessent d'augmenter jusqu'au XVIIᵉ siècle. Non seulement par le nombre, mais aussi par le volume : ils enflent ! Leurs auteurs excellent à décrire, un par un, les cas de figure les plus complexes – constructions savantes et recettes de cuisine pour mettre en perspective des escaliers en colimaçon et toutes sortes de figures géométriques alambiquées.

Devant cette poussée inflationniste, un architecte et géomètre lyonnais, Girard Desargues, cherche à unifier les divers procédés graphiques qui sont alors exposés, non seulement dans les traités de perspective, mais aussi dans les traités de gnomonique – étude des cadrans solaires – ou bien encore dans les traités de compagnonnage destinés à la coupe des pierres. Il énonce entre autres un théorème révolutionnaire qui est à la base de la «géométrie projective», et qui, à lui seul, englobe tous les cas de figure.

Les traités de perspective sont souvent volumineux. Ne proposant aucune méthode synthétique, ils envisagent tous les cas de figure – même le plus désespéré : celui pour «pratiquer la perspective sans la savoir», à l'aide d'un treillis et d'un viseur.

Une ombre portée est une projection à partir d'une source lumineuse. Son tracé dans un dessin revient à faire la perspective d'une perspective : problème qui met en lumière les arcanes de la géométrie projective.

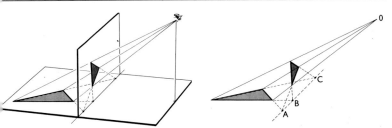

Mais ce raccourci fulgurant va emprunter un détour de plus de deux siècles avant de trouver enfin sa place dans l'histoire. Détour imposé par l'une des querelles les plus spectaculaires entre l'art et la science. D'un côté, les peintres qui fondent par expérience, de l'autre, les géomètres qui fondent par démonstration.

Une querelle en perspective !

La première étude de Desargues sur la pratique de la perspective paraît à Paris en 1636. Mais elle est en partie plagiée par un jésuite, le révérend père Du Breuil. Desargues, indigné, riposte en placardant sur les murs de Paris des affiches dénonçant cet emprunt peu catholique : la querelle rendue publique ne lui profite pas. Découragé, il abandonne.

Le théorème de Desargues : «Si deux triangles ont leurs sommets alignés à partir d'un point O, les droites qui prolongent leurs côtés se coupent deux à deux selon trois points alignés A, B, C.» Ce théorème, aussi bien vérifié en plan que dans l'espace, permet de ramener à deux dimensions toute configuration spatiale, ce qui est l'essence même de la perspective.

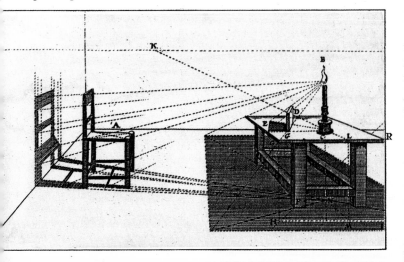

C'est son disciple, le graveur Abraham Bosse, qui se charge de republier la *Manière universelle de M. Desargues* augmentée du fameux théorème dont l'énoncé embarrassé reste plus théorique que pratique. Admis comme membre honoraire à l'Académie royale pour y enseigner la perspective, il cherche à convaincre que l'art repose tout entier sur les règles de la géométrie. Et, persuadé que la raison doit trancher sur la perception, il finit par s'en prendre à Le Brun, futur premier peintre du Roi et directeur de l'Académie, dont le goût est davantage soumis aux convenances qu'aux principes. Il dénigre publiquement l'un de ses tableaux, lui reprochant une faute de perspective dans le tracé des ombres. L'affaire s'envenime, soulève une véritable polémique. S'en suivent des débats interminables, libelles, pamphlets, écarts de langage et incivilités avec les membres de l'Académie qui décident alors d'écarter Bosse. Ils prononcent en 1661 son exclusion, mais ce huguenot obstiné fonde sa propre école : l'impudence dépasse les bornes. L'affaire Bosse, sur rapport de Colbert, est de nouveau tranchée ; un arrêt du Conseil, signé par le roi, donne à l'Académie le monopole de l'enseignement artistique.

Mise au ban de la pratique picturale où elle s'est formée, et qu'elle a nourrie en retour, la perspective subit le sort de toute pratique en art considérée du seul point de vue de la technique ou de la théorie : elle devient académique.

Pour les peintres, «il faut que ce soit l'œil qui juge, et qui soit le premier instrument ; il se trouve dans la pratique des difficultés que la théorie ne peut prévoir» (Félibien)

En donnant un caractère purement mathématique à la perspective et en cherchant à en faire l'apanage de la peinture, Desargues et Bosse ont poussé un peu trop loin l'art de la règle et du compas vers ceux qui manient l'estompe et le pinceau. Ils ont réduit le travail du peintre à celui, deux siècles plus tard, du photographe : d'une part le choix du sujet, d'autre part le choix du point de vue, le reste n'étant que le résultat d'une opération mécanique. La peinture et la

EXAMEN DES OEVVRES DV S. DESARGVES PAR I. CVRABELLE

Desargues, quoique estimé du cercle des Minimes qui réunissait sous la houlette du père Mersenne les plus grands scientifiques de l'époque, fut l'objet de maintes controverses. L'un de ses détracteurs les plus virulents, Curabelle, publie en 1644 un *Examen des œuvres du sieur Desargues*. Ce dernier, offensé, réplique avec des affiches titrées *La Honte du sieur Curabelle*, lequel riposte par un placard, *Calomnieuses Faussetés*, auquel Desargues répond par un pamphlet, *Sommation faite au sieur Curabelle*, qui publie en retour une brochure, *Faiblesse pitoyable du sieur Desargues*.

géométrie sont alors à couteaux tirés. Les arguments de l'une ne sont plus les arguments de l'autre. Les deux voies se séparent ici. Le théorème de Desargues marque le point d'aboutissement de toutes les théories sur la perspective depuis la Renaissance, c'est-à-dire leur point d'achèvement : cette limite qu'offre une chose parfaitement maîtrisée et qui met un terme à la rêverie humaine. Devenue forme fixe, cadre désenchanté, la perspective n'est plus, comme elle l'a été, un prodigieux instrument pour appréhender le monde, mais une simple convention qui le soumet à une lecture toujours identique et qui, par sa répétition même, ne peut plus constituer une finalité pour l'artiste.

Les yeux à fleur de cadres, comme pour mieux s'en échapper, Nicolas Poussin, dans cet autoportrait, défie la peinture non sans se mettre à dos ses toiles. Dressées derrière lui les unes contre les autres, à la manière d'une palissade, elles coupent court à toute idée de profondeur. Le modèle de la perspective comme fenêtre ouverte sur le monde est remis en question. Les tableaux ont perdu leur transparence, leur platitude est affirmée. Le sujet de la peinture est désormais ailleurs, scellé peut-être dans ce rouleau de papier sur lequel se referme la main de l'artiste.

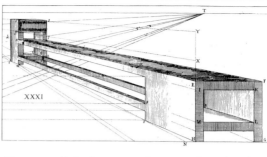

XXXI

Si, au XVe siècle, la perspective est un modèle fécond pour ceux qui cherchent à savoir ce qu'ils voient, elle est devenue, au début du XVIIe siècle, l'encombrant privilège de ceux qui cherchent à voir ce qu'ils savent, «le frein et le gouvernail de la peinture» (Léonard).

La perspective au bord du doute

Si les peintres ne s'intéressent plus aux théories sur la perspective, qui donc s'y intéresse ? Quelques rares mathématiciens, mais non des moindres, puisque c'est à Desargues, dont il était le disciple, que le jeune Blaise Pascal doit le point de départ de son œuvre mathématique. Quant aux autres, ce sont plutôt des marginaux de la peinture, des savants curieux, des jésuites géomètres. Ils poussent à ses limites le raisonnement logique de la perspective et démontrent que par les règles de la géométrie on peut produire des images aberrantes, des représentations dépravées : des «anamorphoses». Ils amènent ainsi la perspective au bord des sciences occultes, comme une démonstration du doute cartésien et des vanités de ce monde.

La perspective centrale est-elle en train de disparaître ?

Dès le XVIe siècle, la peinture rejette les implications trop savantes de la perspective. Ayant déjà assimilé et

Surgissant hors de sa forme, s'étirant jusqu'à perdre toute contenance, butant contre les limites du dessin, cette chaise semble être la proie d'une vision déréglée. Mais la perspective bancale retrouve son aplomb d'un point de vue très oblique. L'extravagance de cette image subjugue d'autant plus l'esprit qu'elle résulte d'une construction rigoureuse : un défi à la raison par la raison, qui altère l'ordre des formes sans les détruire. Au XVIIe siècle, ces anamorphoses sont l'objet de nombreux traités parmi lesquels le plus remarquable est sans doute celui du père Niceron : le *Thaumaturgus opticus*, publié en 1646 (La Perspective curieuse ou magie artificielle des effets merveilleux).

ntégré l'essentiel dans sa pratique, elle ne s'embarrasse plus des théories. Elle boude les règles, mais en respecte l'esprit. Elle sait même en jouer librement pour piéger le spectateur dans l'image et, comme un chasseur avec ses appeaux, le faire tomber dans le panneau, le méduser comme la Gorgone. Ses ambitions sont ailleurs.

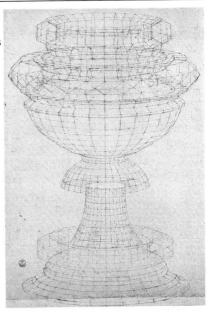

Si la perspective centrale est, selon l'expression de Léonard, «fille de la peinture», elle ne lui reste guère assujettie. En confortant son statut dans les domaines de la géométrie et de l'optique, elle s'est constituée très tôt en discipline indépendante. Aussi, elle ne s'éteint pas lorsque les peintres lui opposent un refus, à partir de la fin du XIXe siècle. Cet abandon n'est pas sa mort, loin de là, mais peut-être sa vraie naissance après quatre siècles de gestation, puisqu'elle inonde, comme une pluie d'étoiles, le monde de l'image à travers la photographie, le cinéma et la télévision.

Cette mécanisation de la production des images avec la chambre noire – par son côté objectif – efface pour un temps l'appareil conceptuel qui lui a donné le jour.

Il faut attendre le XXe siècle et les images de synthèse par ordinateur pour que se pose de nouveau aux praticiens le problème de la théorie, celle-là même qu'avait esquissée Filippo Brunelleschi lors de sa leçon inaugurale : l'expérience de la *tavoletta*, véritable baptême de la perspective centrale à San Giovanni.

Au XXe siècle, le développement de l'informatique a permis de créer des ordinateurs capables de calculer et tracer des images en perspective. Le rendu le plus simple, dit en «fil de fer», comme cette étude pour des roues d'automobile (à gauche), n'est pas sans rappeler les figures tracées cinq siècles plus tôt par les précurseurs de la perspective : tel ce calice dessiné par Uccello.

Ayant prié son modèle de s'asseoir, le peintre mesura à l'aide d'un pied à coulisse la distance entre les yeux, puis la hauteur du nez, la largeur de la bouche, la longueur des oreilles et ainsi de suite pour toutes les parties du visage. Ayant reporté toutes les mensurations sur un carnet, il salua son modèle et lui dit : «Pour votre portrait, revenez dans quinze jours, ce sera prêt!»

CHAPITRE III
LES YEUX ENVOLÉS

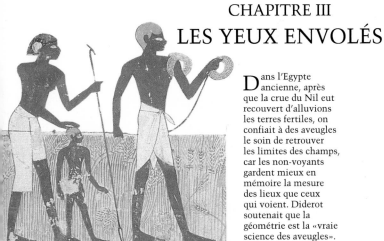

Dans l'Egypte ancienne, après que la crue du Nil eut recouvert d'alluvions les terres fertiles, on confiait à des aveugles le soin de retrouver les limites des champs, car les non-voyants gardent mieux en mémoire la mesure des lieux que ceux qui voient. Diderot soutenait que la géométrie est la «vraie science des aveugles».

Cette séance de pose à laquelle le peintre Henri Rousseau aurait convié Alfred Jarry pour lui tirer son portrait, trait pour trait, est quelque peu surprenante. Le relevé systématique des mesures paraît d'autant plus dérisoire que le modèle est en volume et que sa mise à plat sur une toile impose aux dimensions qui s'étendent dans la profondeur d'apparaître en raccourci. A l'évidence du geste qui mesure un volume répond l'embarras du geste qui veut en faire une image plane.

Seul obstacle à l'objectivité du dessin : le sujet. Evacuant toute référence directe à l'image vue, adoptant une approche théorique, la géométrie descriptive propose une méthode de représentation objective. En 1792, l'architecte Jean-Jacques Lequeu en imagine la parodie : une tête, orbites béantes, est soumise aux tracasseries de la règle et du compas.

Si le problème du peintre est rarement de conserver une relation métrique entre une chose et son image, c'est, en revanche, l'écueil inévitable auquel se confrontent les géomètres, les architectes et les ingénieurs lorsqu'ils cherchent à donner de leur projet une description rigoureuse.

A la fin du XVIe siècle, en Europe, la géométrie des villes, des jardins et des palais, fait l'objet d'une nouvelle perspective

A l'opposé de l'architecture baroque qui privilégie certains points de vue par des échappées, des raccourcis, l'architecture classique est à saisir dans son plan d'ensemble, dans sa géométrie vue à vol d'oiseau pour que transparaissent son implacable symétrie, ses alignements tirés au cordeau, le damier rectiligne de ses jardins.

La perspective centrale, avec son horizon à hauteur d'œil et son point de vue unique, offre une vision trop ponctuelle de l'espace pour que se révèle cet univers géométrique conçu et bâti à l'image d'une carte. Il faut substituer à cette perspective locale une perspective globale. Il faut prendre du recul,

se détacher du sol, adopter un point de vue aérien, une méthode pour regarder les grands objets comme s'ils étaient petits. Il faut que l'image de ce monde soit une image mesurable, une image qui montre, non plus la progressive diminution des choses lorsqu'elles s'éloignent d'un observateur, mais au contraire leur parfaite régularité infiniment étalée, sans jamais qu'elles puissent disparaître à l'horizon, là où tout se dérobe à la curiosité du regard humain.

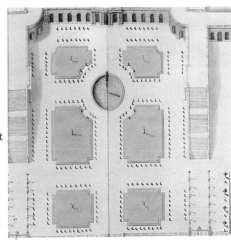

PLAN DE LA REUNION DES TUILLERIES AU VIEUX LOUVRE
De l'etablissement d'une Salle d'Opera, d'une Salle de Concert. & de l'achevement de la Place de LOUIS XV.

Avec leur découpage rationnel «à la française», les jardins du XVIIᵉ siècle, comme à Versailles (ci-dessus), ont contraint la nature pour mieux la magnifier. L'architecture n'échappe pas à cette mise au carreau : le goût est aux façades rectilignes, aux couvertures en terrasses. Cette géométrisation des formes transparaît grâce à un point de vue plongeant et infiniment éloigné. Les grands axes parallèles des édifices et des parterres ne convergent plus vers un point de fuite, l'horizon est neutralisé, la perspective ratissée.

A l'inverse de la perspective centrale, la «perspective parallèle» est sans point de fuite, donc sans horizon

Les choses sont représentées comme si l'observateur était infiniment éloigné de l'objet qu'il regarde. Rejeté à cette distance infinie, l'œil de ce spectateur céleste ne verrait jamais converger des droites parallèles entre elles. Ce point de vue théorique offre pour le géomètre, l'architecte ou l'ingénieur, l'immense avantage de conserver dans l'image la mesure des choses selon des échelles déterminées pour chaque direction de l'espace.

On connaît de nombreuses utilisations empiriques de ces perspectives parallèles depuis l'Antiquité, principalement en Extrême-Orient.

C'est dans son *Livre III d'Architecture*, publié à Paris en 1582, que Jacques Androuet du Cerceau trouve dans ce mode de représentation une justification rationnelle qui prend figure de procédé. Manuel «nécessaire à ceux qui veulent bâtir, pour

Le spectateur n'est pas le centre autour duquel s'organise la peinture traditionnelle chinoise ou japonaise. Non tributaire d'un point de vue, l'image ne se referme sur aucun horizon, elle est fragment réinterprété d'un univers toujours extensible. Elle distribue, ordonne des espaces, recense des attitudes, rythme l'étendue. Phrase sans sujet : elle juxtapose des signes pour écrire le monde, le calligraphier.

Sur un fragment de vase grec du IVe siècle av. J.-C. (à gauche), un temple est représenté en perspective parallèle.

qu'ils soient instruits, et connaissent les frais et
la dépense qu'il convient de faire», cet ouvrage
de métreur scrupuleux est animé par un souci
d'économie. Quelle image doit-on donner d'un
bâtiment pour évaluer, à sa juste mesure, le coût des

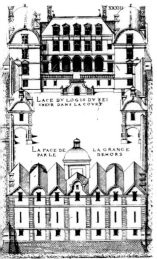

matériaux nécessaires
à sa construction ? Le
dessin doit permettre
une «mise en lumière»
de l'édifice pour qu'il
soit «facile de mesurer
et toiser toute la
maçonnerie».
Autrement dit, pour
chiffrer la dépense,
il faut qu'il soit aisé
de «compter» sur le
dessin. De sorte que
l'image doit combiner
le plan et l'élévation
dans une perspective
où toutes les parties
– qu'elles soient
proches ou lointaines –

Androuet du
Cerceau est un des
premiers architectes
en Occident, à la fin
du XVIe siècle, à
employer de manière
méthodique la
perspective parallèle.
Il trace d'abord le plan
au sol, puis élève les
bâtiments, opération
qu'il appelle «la
montée de tout le
contenu».

apparaissent en fonction, non de leur éloignement, mais de leur vraie grandeur.

La perspective devient pratique et tactique, les bons dessins font les bons stratèges

Les perspectives parallèles sont déconsidérées par les tenants de la perspective centrale. Ils n'y voient qu'un succédané pour ceux qui répugnent à mettre en œuvre des constructions géométriques savantes. Leur utilisation au XVIIe siècle, à l'exception de quelques architectes, est réservée aux gens de guerre

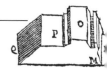

"Pour représenter les fortifications, on se sert d'une perspective [...] qu'on appelle *Perspective Cavalière* et *Perspective Militaire*, qui suppose l'œil infiniment éloigné du Tableau, [... et quoiqu'elle soit naturellement impossible, la force de la vue ne pouvant se porter à une distance infinie, elle ne laisse pas néanmoins de faire bon effet."**

J. Ozanam
*Cours de
mathématique
nécessaires à un
homme de guerre*, 1693

L'art de la guerre devient géométrique. Les rondeurs des forteresses sont délaissées pour des places fortes à redans, le tir tendu des canons a remplacé le tir indirect des bombardes, partout la courbe cède la place à la droite. Ici, une perspective à trois étages : le premier plan en perspective centrale nous introduit de plain-pied dans l'image ; le second en perspective parallèle dévoile la stratégie ; le dernier montre le plan du géomètre.

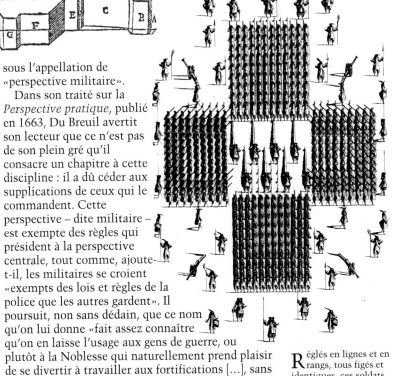

sous l'appellation de «perspective militaire».

Dans son traité sur la *Perspective pratique*, publié en 1663, Du Breuil avertit son lecteur que ce n'est pas de son plein gré qu'il consacre un chapitre à cette discipline : il a dû céder aux supplications de ceux qui le commandent. Cette perspective – dite militaire – est exempte des règles qui président à la perspective centrale, tout comme, ajoute-t-il, les militaires se croient «exempts des lois et règles de la police que les autres gardent». Il poursuit, non sans dédain, que ce nom qu'on lui donne «fait assez connaître qu'on en laisse l'usage aux gens de guerre, ou plutôt à la Noblesse qui naturellement prend plaisir de se divertir à travailler aux fortifications [...], sans y employer le travail qu'il faut prendre en suivant les règles de la perspective régulière, qui demandent des sujétions mathématiques qui en rebutent beaucoup».

Mais ce jugement sans complaisance occulte un trait essentiel de toute représentation. Son efficacité n'est pas proportionnelle aux difficultés géométriques pour la mettre en œuvre, loin de là! Ici, l'objectif est de construire l'image, non d'un simple édifice, mais d'une véritable stratégie. Le dessin doit être, en lui-même, un document tactique; non seulement il doit permettre de montrer les terrassements nécessaires à la construction d'une place forte, mais aussi d'exposer les manœuvres et les figures de combat, la marche des bataillons, le maniement des armes à feu, et même de résoudre des problèmes de balistique.

Réglés en lignes et en rangs, tous figés et identiques, ces soldats se sont cristallisés dans une figure de géométrie sans défaut. Chacun d'eux a sa place, comme un picot sur un canevas. Les hommes sont calibrés avec une précision mécanique, ceux qui sont proches ont la même taille sur l'image que ceux qui sont loin. La discipline est là. L'ordre est visible, la perspective le montre.

En faisant figurer, sur le plan, l'élévation de toutes les parties qui s'y trouvent – arbres, maisons, remparts, bastions – comme si elles étaient couchées à même le sol, la perspective militaire permet d'identifier plus facilement les reliefs du terrain, sans pour autant renoncer aux avantages qu'offre une vue en plan. A cet égard, elle se révèle très opérationnelle.

Du champ de bataille à la manufacture

Représenter un projet doit permettre non seulement d'offrir une vision d'ensemble, en rendant compte de l'aspect volumétrique de la chose, mais aussi d'informer de façon précise sur ses dimensions. Pour l'ingénieur, il ne s'agit pas de traduire le volume par l'illusion perspective dont l'interprétation serait laissée à la subjectivité de chacun, mais au contraire de ramener à deux dimensions des formes qui en ont trois, pour mieux en fixer la mesure. Ici, projet et projection ne font qu'un.

Les perspectives parallèles, qui prennent alors le nom de «perspective cavalière», trouvent une application dans le domaine du dessin technique. Toutefois, au XVIIIᵉ siècle, leur emploi est loin d'être généralisé : la plupart des grandes encyclopédies – comme celle de Diderot et d'Alembert – conservent en effet la majorité de leurs illustrations en perspective centrale.

Mais les formes de plus en plus complexes des objets manufacturés, et leur production en série, obligent les dessinateurs et les ingénieurs à mettre au point un véritable code de représentation qui donne immédiatement les dimensions d'un objet : une sorte de langage

Avec ses cinq pattes engagées dans la masse de pierre, deux pour la vue frontale, quatre pour la vue latérale (celle qui forme l'arête antérieure étant commune aux deux vues), le taureau ailé de Khorsabad pose de façon monumentale, sept siècles avant notre ère, le problème de la rencontre d'une face et d'un profil : problème charnière que résoudra à sa manière la géométrie descriptive.

Chaises, tables et autres objets manufacturés sont, à partir du XVIIᵉ siècle, fréquemment représentés en perspective parallèle – méthode qui, tout en permettant une lecture des volumes, se prête à des mesures immédiates.

graphique universel qui permet de faire, de toute forme, une description géométrique rigoureuse.

Une perspective à toute épreuve : la descriptive

Introduite par Gaspard Monge dans son enseignement à l'Ecole polytechnique à la fin du XVIIIe siècle, la «géométrie descriptive» est une application systématique de la perspective parallèle. Son développement marquera autant le domaine de la géométrie pure que celui de la pratique du dessin.

Cette méthode, dont l'auteur assure qu'elle permettra de «tirer la nation française de la dépendance où elle a été jusqu'à présent de l'industrie étrangère», repose sur cette simple constatation : il est impossible de fixer tous les paramètres d'une forme volumétrique par un seul dessin. Elle propose donc de représenter les objets en rabattant, sur la même feuille de papier, deux projections différentes dont on fait correspondre les divers points.

Mais l'image qui résulte de cette double projection est parfois très abstraite, et son interprétation ne va pas sans poser de problème. Si elle permet en théorie de déduire le volume exact de l'objet, il n'est guère facile de s'en faire une idée du premier coup d'œil. Une

Fig. 217.

La géométrie descriptive a pour objet «de représenter avec exactitude sur des dessins qui n'ont que deux dimensions, les objets qui en ont trois» (Monge). Si la perspective centrale nie le plan du tableau en introduisant l'illusion de la profondeur, en revanche la géométrie descriptive nie la profondeur en décomposant les formes pour les mettre à plat. Cette pratique de réduction, qui vise une lecture sans équivoque, serait la finalité de toute science selon Husserl :

«La profondeur est un symptôme du chaos que la véritable science se doit d'ordonner en un cosmos, en un ordre simple, complètement clair et déployé. La vraie science [...] ignore toute profondeur.»

forme, même simple, devient
rapidement un enchevêtrement
inextricable de traits et de
pointillés, où le regard même
le plus averti finit par se perdre.

Pour remédier à cet inconvénient,
Monge préconise de suggérer le
volume par le tracé des ombres,
dont l'étude deviendra un chapitre
spécial de la géométrie descriptive.
Il ne suffit pas qu'une représentation
soit «exacte», encore faut-il qu'elle
puisse être comprise par ceux
qui la regardent.

Au début du XXᵉ siècle, les perspectives parallèles deviennent le moyen privilégié de représentation chez les architectes

L'enseignement de l'architecture
au XIXᵉ siècle, s'il hérite en partie
de la géométrie descriptive à travers
l'étude du tracé des ombres, ignore
presque complètement les multiples possibilités
qu'offrent les perspectives parallèles. C'est seulement
à la fin du siècle que l'architecte Auguste Choisy en
montre l'intérêt : permettre de faire une description
rationnelle sans retirer au dessin ses qualités
figuratives. Elles prennent alors un nouveau nom :
l'«axonométrie».

Il faut attendre les années 1920 pour qu'elles
trouvent pleinement leur place dans le rendu des
dessins d'architecture. Elles deviennent même
l'enjeu d'une véritable théorie esthétique qui anime
l'enseignement à l'école du Bauhaus en Allemagne,
et du groupe De Stijl en Hollande. Ces mouvements
ont largement subi l'influence de l'avant-garde russe
dont les peintures, comme celles de Lissitzky,
montrent des formes géométriques en perspective
parallèle : «Un monde d'organismes cristallins
flottant dans un espace visuellement infini.»

Le développement de l'axonométrie ramène
l'architecte à une démarche plus théorique sans

Dans sa série
de peintures
intitulées *Proun* (1919),
El Lissitzky tente de
faire «voler en éclat
le centre optique»
en construisant des
corps géométriques en
perspective parallèle.

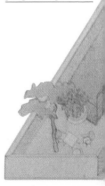

référence à l'expérience visuelle que privilégie la perspective centrale. C'est même cet aspect théorique qui va rendre à la notion de «projet» sa vraie force conceptuelle, car le dessin d'architecture est par essence une abstraction, il anticipe sur quelque chose qui n'existe pas encore, et qui doit pourtant être accessible à une lecture. Par ce point de vue rejeté à l'infini, la vision intérieure de l'architecte trouve sa métaphore.

Si dans une perspective parallèle les choses apparaissent avec une neutralité qui semble n'appartenir à aucun regard, c'est que le point de vue est, par définition, inaccessible au spectateur. L'œil glisse sur la surface du papier sans pouvoir y pénétrer, l'image est sans point de fuite, donc sans profondeur. Cette perspective qui transcrit l'espace aux rythmes de ses mesures – comme le ferait un aveugle qui compte ses pas – n'en est que plus visionnaire. Ce point de vue – qui n'en est pas un – ne peut qu'exciter le rêve, celui que les choses puissent voir le jour, qu'elles se donnent enfin aux yeux de tous et à chacun selon son point de vue.

Walter Gropius prône l'axonométrie dans son enseignement au Bauhaus. Outre ses qualités esthétiques, elle offre une bonne approche de l'espace sans pour autant sacrifier l'avantage qui consiste à pouvoir, comme sur un plan, mesurer sur le dessin.

Echappant à la contrainte du point de vue, l'axonométrie appliquée au projet d'architecture, ici par Le Corbusier, permet de mieux apprécier l'articulation entre les volumes. Elle invite l'œil à une circulation constante qui anticipe sur la promenade réelle.

« Je dis que toutes les lignes, même les plus droites, paraissent nécessairement s'incurver. Pourtant, aucun peintre ne l'admet ; pour peindre les côtés rectilignes d'un édifice, ils se servent tous de lignes droites, bien que ce soit faux si on considère le véritable art de la perspective. Les côtés devraient se recourber graduellement comme une panse. A vous de vous casser les dents sur ce problème, messieurs les peintres ! »

Wilhelm Schickhardt, 1624

CHAPITRE IV
DES YEUX EN PLUS

Dans la mythologie grecque, Argos était réputé pour sa vigilance, il pouvait tout voir d'un coup. Son corps était recouvert de cent yeux qui ne se fermaient jamais tous ensemble. Lorsqu'il mourut, la déesse Héra sema ses yeux sur la queue du paon.

Du cadre des tableaux jusqu'à la lucarne de l'appareil photographique, le principe de la «fenêtre» d'Alberti – par laquelle notre regard plonge dans l'espace – limite notre champ de vision. Dans ce rectangle découpé, l'espace n'ouvre son étendue qu'entre les dormants d'un châssis, comme une simple trouée dans un mur aveugle. Pourtant l'espace nous enveloppe, à la fois devant et derrière nous : la perception des parties visibles est solidaire de la conscience que nous avons de celles que nous ne pouvons pas voir.

Lorsque, pivotant la tête, nous balayons du regard les choses qui nous entourent, en fouillant l'espace comme le ferait, dans le ciel, un projecteur de DCA, les images s'enchaînent les unes aux autres dans un déroulement continu. Ces images, dispersées dans le temps, se raccordent dans notre imagination pour construire une vision cohérente de l'espace. Peut-on relier entre elles toutes ces images accumulées pour n'en faire qu'une seule et qui donnerait à voir, sans rupture, l'espace entier qui nous enveloppe ? Oui, mais il faut changer un peu nos habitudes, notre manière de voir, admettre que l'image d'une droite

Au moment où s'établissent les règles de la perspective centrale, certains peintres du XVe siècle, tel Jean Fouquet, imaginent d'autres modes de représentation. Dans cette scène, montrant l'arrivée de l'empereur Charles IV à la basilique Saint-Denis, les lignes du pavage s'incurvent comme si le regard, en pivotant, avait suivi le déroulé du cortège.

puisse être une courbe, tout comme les cartographes acceptent de représenter la sphère de notre planète en la déformant pour en faire une image plane.

Dès la Renaissance, les prétentions réalistes de la perspective centrale sont l'objet d'une vive polémique entre les théoriciens

D'un côté la perspective centrale hérite de la *perspectiva naturalis*, c'est-à-dire de l'optique, puisqu'elle entretient, tout au moins à première vue, un rapport étroit avec la science de la vision; de l'autre, elle s'en démarque. Le problème qu'elle pose est différent. La projection d'une image sur une surface plane demande qu'on détermine, non la grandeur apparente des choses, mais la grandeur qu'on doit leur donner sur le plan du tableau pour que, d'un certain point de vue, l'image paraisse conforme.

Cette différence entre grandeur apparente et grandeur projetée sur le tableau suscite des controverses et des doutes parmi les théoriciens. Les distorsions s'expliquent géométriquement, mais les profanes, eux, risquent d'en être choqués. Comme le soulignent Vignola et Danti dans leur ouvrage sur la perspective, paru en 1583, si l'angle de vision est trop large, l'œil prenant du recul pour embrasser tout le tableau voit les lignes du pavement remonter, celles du plafond «dégringoler».

Pour atténuer ce problème, les peintres tentent alors de déterminer l'ouverture maximale du champ visuel représentable sur un tableau (où doit se fixer la limite entre «l'œuvre» et le «hors-d'œuvre»?); sachant que plus cette ouverture est grande, plus fortes sont les déformations de l'image lorsque le spectateur ne se tient pas rigoureusement au bon point de vue. La plupart des peintres de la Renaissance s'accordent à reconnaître que, si ces distorsions sont gênantes – en raison de la contrainte encore plus grande

Pour Athanasius Kircher, au XVIIe siècle, la perfection de la colonne Trajane réside dans sa torsade. Il suppose qu'elle s'étire progressivement afin de compenser l'effet de fuite pour un observateur situé au sol. Le paradoxe de la colonne qui, pour apparaître régulière, doit être déformée, laisse entrevoir les tourments qui ont agité les théoriciens désireux d'accorder l'optique à la géométrie. Si l'interprétation avancée par Kircher est quelque peu forcée, l'étirement de la spire n'en garde pas moins son ressort poétique.

qu'occasionnerait l'obligation de se rendre à un œilleton fixe, en offrant les peintures à travers un judas –, il est préférable de restreindre le plus possible le champ de vision. Diderot lui-même recommandait bien aux amateurs de tableaux de les regarder à la longue-vue, ou en s'aidant d'un tube en carton, car, par ce recadrage de l'image, le sentiment du vrai est plus saisissant. Ce qui est une façon de remettre le spectateur à sa place en le renvoyant derrière la fenêtre d'Alberti, dont les volets seraient ici à peine entrouverts, comme si l'on regardait les tableaux à l'espagnolette. En somme, ces œillères qui contiennent les débordements de la perspective seraient le prix à payer du réalisme en peinture.

Cette solution qui consiste à préférer l'amputation des tableaux à la paralysie du spectateur a poussé certains auteurs – Léonard en premier – à opérer dans une autre voie : imaginer une représentation où les choses figureraient seulement à l'image de leur grandeur apparente, autorisant du même coup une vision «grand angle», une perspective panoramique.

A l'étroitesse de la fenêtre d'Alberti s'oppose l'ouverture panoramique d'un dôme

Le tableau n'est plus une surface plane, mais une sphère qui enveloppe le point de vue. Le spectateur est alors plongé, immergé dans l'image, l'œil au centre d'une bulle, suspendu comme une planète. Ni devant ni derrière, le champ et le contrechamp se complètent. L'image se referme sur elle-même,

Les déformations inhérentes à la perspective centrale deviennent flagrantes dès qu'on déborde le cadre traditionnel de l'image. En prolongeant, par exemple, ce tableau du XVIIᵉ siècle de Pieter Saenredam vers la gauche : les colonnes en s'anamorphosant paraissent disproportionnées si on ne se tient pas au bon point de vue. Dans la pratique, pour laisser une marge de liberté au spectateur, les peintres ont borné leur champ de vision à l'intérieur d'un cadre étroit.

dépourvue de cadre,
elle est sans limite.

Ce parti pris de
représenter l'espace en le
projetant sur une surface courbe ne
pouvait trouver qu'un écho favorable chez
les tenants de l'optique qui ont voulu voir,
dans cette sphéricité possible de l'image, un
équivalent à la courbure de la rétine de notre œil.
Ce rapprochement avec l'organe anatomique de
la vue recouvre, en fait, une confusion importante.
Un tableau ne propose pas de montrer les images
vues à travers l'œil, puisque autant les objets réels
que le tableau qui les représente sont soumis à cette
médiation du regard. Si un peintre avait à faire le
portrait d'un myope, choisirait-il, pour que son
modèle se reconnaisse plus facilement, de le
représenter flou ? Et la photographie d'un aveugle
serait-elle plus ressemblante si elle était voilée ?

La perspective ne donne pas une image de la
vision, mais une image des choses, qui, sous certaines
conditions, coïncide avec la vision qu'on pourrait
en avoir. D'ailleurs, l'image que nous voyons n'est
ni plane ni courbe. C'est une image sans support.
Il n'existe aucun œil à l'intérieur de l'œil pour voir ce
que voit l'œil ! L'image visuelle déposée sur la rétine

En représentant
l'espace sur une
surface courbe, on
évite les distorsions
observées sur le
tableau plan. En
revanche, les lignes
s'incurvent, les murs
bombent. Ci-dessus,
projetée sur un demi-
cylindre, l'image
de l'intérieur de la
même église, une
fois déroulée (en bas),
montre un champ
de vision de 180°.
La gerbe de droites
parallèles qui se
déploie devant nous
se cintre avant de
se résorber par deux
points de fuite aux
extrémités opposées
du dessin.

transmet le monde visible à notre conscience, sous la forme d'une image mentale, la seule que nous soyons sûrs de voir.

Si cette comparaison entre la forme de la rétine et un tableau sphérique est équivoque, puisqu'elle tend à confondre celui qui regarde avec ce qu'il regarde, elle ne retire pas l'intérêt d'une représentation qui tente de s'ouvrir tous azimuts à l'exploration du monde visible.

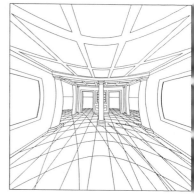

Mais l'image sphérique est aussi peu pratique pour le dessinateur que le globe terrestre pour le voyageur

Si peindre un tableau à l'intérieur d'une sphère, fût-elle transparente comme un bocal, n'est pas plus commode pour le peintre que pour le renard de manger dans un vase à long col – bien qu'on trouve, dans les édifices religieux, des fresques et des mosaïques sur les parois intérieures des coupoles et des culs-de-four –, l'image qui en résulte n'est pas non plus sans inconvénient pour l'utilisateur. Un tableau sphérique ne loge pas entre les pages d'un livre, ni ne s'accroche avec aisance sur un mur. L'obstacle se lèverait facilement si l'on pouvait mettre à plat cette image, mais nous savons qu'il est impossible de développer une sphère sur un plan sans altérer sa surface; on ne peut aplatir dans son assiette la peau d'une orange qu'en la déchirant. Et il est aussi complexe pour le dessinateur de faire d'un globe une image sans relief, que pour le géomètre de faire table rase de la courbure de la Terre en imaginant un «plani-sphère».

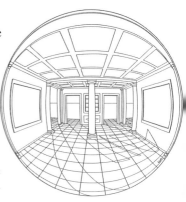

Ce sont pourtant les cartographes qui ont inventé, et ceci bien avant la

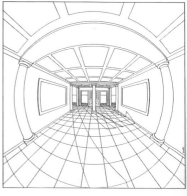

Renaissance, les premières projections qui permettent de passer d'une surface courbe à une surface plane. Mais ces projections, imaginées deux siècles avant Jésus-Christ par l'astronome grec Hipparque et perfectionnées ensuite par Ptolémée, ne trouvent que tardivement une application en dehors de la cartographie. Les opérations géométriques qu'elles requièrent sont assez complexes, elles sont pourtant l'objet d'études dans les grands traités de perspective, dès le XVIe siècle, et figurent au même titre que les autres modes de représentation.

Si ces méthodes de projection permettent de rendre compte d'un espace plus large, elles offrent en revanche d'inévitables déformations curvilignes qui rendent difficile l'appréciation des volumes dans un espace fortement architecturé.

La mise à plat d'une image sphérique pose des problèmes. Les solutions sont aussi nombreuses que l'imagination des mathématiciens est féconde. A gauche, une pièce, soumise à différentes projections, semble devoir faire le deuil de sa rigidité. Les murs paraissent tantôt s'arc-bouter sous les contraintes d'une pression adverse, tantôt être soufflés comme une vessie, ou encore se laisser mollement chambrer dans les limites du cadre.

Sur un miroir bombé, une boule de verre argenté, ou plus simplement sur le dos d'une cuiller polie, l'espace se ramasse sur lui-même. Objet de fascination depuis l'Antiquité, ces miroirs convexes ont hanté les fables et excité la curiosité des peintres. Ils furent même tenus pour des instruments de magie en raison de leur reflet déformant, et surnommés des «sorcières».

A la fin du XVIIIᵉ siècle, les panoramas, installent les spectateurs au cœur de l'image

On passe du trompe-l'œil habilement placé au fond d'une niche – qui fait sourire celui qui un instant s'est laissé prendre – au stade des émotions fortes avec l'invention des «panoramas». Ce sont de gigantesques tableaux circulaires – certains atteignent quarante mètres de diamètre, comme celui, toujours visible, de Mesdag à La Haye – destinés à être regardés depuis le centre. Ils offrent en spectacle un tour d'horizon complet, un peu comme une table d'orientation dont l'image serait redressée verticalement sur les parois d'un cylindre. Ces «tableaux sans bornes», inventés en 1787 par le peintre écossais Barker et introduits quelques années plus tard en France, représentent souvent des paysages aux étendues vastes ou de grandes villes vues depuis le sommet d'une tour. Mais ce sont surtout les scènes guerrières qui font sensation sur le public. Les spectateurs parviennent au centre du décor par un tunnel obscur, pour surgir

Les panoramas sont placés dans des rotondes. Les spectateurs se tiennent au centre sur un belvédère. Au début du XIXᵉ siècle, ces tableaux circulaires poussaient si loin l'illusion que David exhortait ses élèves à étudier «d'après nature» au panorama.

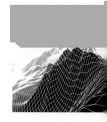

à découvert, comme une taupe sort de son trou, en plein cœur d'un champ de bataille (qui n'est autre qu'un champ de vision) : Waterloo, Trafalgar ou le siège de Toulon.

Jacques Daguerre qui, avant d'être associé à Niepce dans l'invention de la photographie, est peintre-décorateur de panoramas, y apporte, en 1822, une amélioration. Il supprime d'abord le passage brutal entre le sol et le tableau par un arrondi qui crée l'illusion jusqu'aux pieds des spectateurs : c'est le «cyclorama». Puis, jouant d'effets lumineux sur la transparence de la toile peinte, il invente le «diorama». Un peu plus tard, cette fantasmagorie est encore renforcée par le colonel Langlois dans une scène de combat naval – la bataille de Navarin. Un ajout pittoresque décide du succès : le souterrain pour y accéder parvient à une plate-forme qui n'est autre que le pont d'un vrai bateau avec son gréement et ses canons. Cette simulation qui pousse le vrai dans les bras du faux n'est plus seulement optique. Des objets réels et palpables se mêlent au décor peint. Le passage subtil de l'un à l'autre, par un fondu-enchaîné entre la réalité et la fiction, fait l'enchantement des spectateurs qui, enveloppés d'illusions, se sentent noyés dans une image sans cadre. Baudelaire dit, à propos des dioramas : «Leur magie brutale et énorme sait m'imposer une utile illusion. [...] Ces choses, parce qu'elles sont fausses, sont infiniment plus près du vrai.»

Si ces images permettent d'embrasser l'espace entier, d'assouvir le fantasme d'une image totale, comment figurer sur la même image deux choses qui se tournent le dos et qui demanderaient, pour être vues, qu'on change de point de vue ?

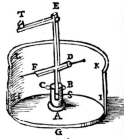

Au XVIe siècle, Baldassare Lanci d'Urbino imagine un instrument muni d'un viseur axial pour dessiner à la ronde.

«L'invention du Diorama avait amené la plaisanterie de parler en *rama*. [...]
– Ah! ah! voici une fameuse *soupeaurama* dit Poiret.
– Pardonnez-moi, dit madame Vauquer, c'est une soupe aux choux.**»**
Balzac,
Le Père Goriot

Ce panoramique à 360° des Alpes, vues depuis l'Aiguille du Midi, a été réalisé sur ordinateur par l'Institut géographique national.

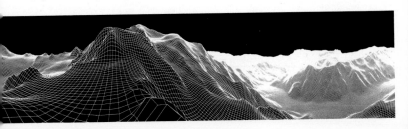

Une image qui se joue du spectateur en ne le soumettant plus à un point de vue unique

A ces perspectives, où le spectateur occupe une position centrale dans l'image, on peut opposer une autre forme de regard. Non plus un seul mais une multitude de points de vue qui enveloppent une portion d'espace, comme si toutes les étoiles du firmament étaient autant d'yeux qui contemplaient la Terre.

Cette vision démultipliée n'est pas sans rapport avec celle que nous avons lorsque nous tournons autour d'un objet pour en connaître toutes les faces. Les choses ne se révèlent complètement à nous qu'au prix de cette dispersion du regard, de cet éclatement du point de vue, où le centre n'est pas celui qui regarde mais ce qui est regardé. Pour représenter, autrement que par une succession d'images, le déroulement de ce parcours visuel, il faut imaginer, non pas un œil se déplaçant, mais une infinité d'yeux qui encerclent simultanément le même objet, comme si l'on devait faire le portrait d'un trapéziste vu par l'ensemble des spectateurs placés sur les gradins d'un cirque, c'est-à-dire composer l'image collective qui résulte de tous ces points de vue différents.

Quel que soit le mode de projection utilisé, un planisphère présente des distorsions. En revanche, il permet une lecture globale de la planète. Ici, fendue le long d'un méridien, mise à plat, la Terre s'offre à cœur ouvert.

Dans les dessins d'enfants, les rabattements sont fréquents. En circonscrivant l'espace par une ligne de terre périphérique, l'enfant établit un enchaînement logique entre plusieurs images. Il n'imite pas seulement l'espace, il montre qu'il le connaît. Le dessin est d'abord une écriture.

Ainsi, dans une même perspective, assiégées par ce regard enveloppant, les formes étalent d'un coup toutes leurs faces ; celles qui sont invisibles, pour nous, se déploient autour de celles qui ne le sont pas. Cette image qui permet de confronter le dessous et le dessus, le devant et le derrière, si elle est à première vue étonnante, traduit peut-être mieux que toute autre perspective cette sensation que l'espace est une chose continue et que la connaissance d'une forme ne résulte jamais d'un point de vue unique. Dans la pratique, la vision directe est toujours stimulée par le souvenir des visions précédentes, la mémoire du caché participant à l'émotion du visible.

Sur cette miniature syriaque du XIIe siècle représentant la Cène, le Christ et les apôtres sont disposés autour d'une table ronde. Grâce à une perspective tournante, ils paraissent tous de face, non sans quelques contorsions.

Une perspective de l'espace qui prend en compte le temps

Dès ses origines, la photographie emprunte aux panoramas l'idée d'une prise de vue circulaire. On invente des appareils dont l'objectif est muni d'une meurtrière qui, en pivotant sur elle-même, balaie une

plaque sensible incurvée. C'est la photographie panoramique, dont les premiers exemples de Frédéric Martens, en 1844, montrent des vues de Paris développées sur 150°. Certains appareils actuels, dont l'objectif tourne indéfiniment sur un axe comme un phare, enregistrent l'espace d'une façon continue sur plus de 360°. Alors que le cinéma multiplie les clichés, que la photographie saisit un instantané, ces prises de vue panoramiques s'étirent dans le temps en illuminant peu à peu la pellicule qui se déroule derrière la fente. L'image devient un long ruban à parcourir tel le récit d'une fresque. Unité d'espace, mais pas de temps !

C'est exactement l'objectif que se fixa Auguste Rodin pour sculpter son *Saint Jean-Baptiste* en train de marcher. Sur une photographie, disait-il, un homme qui marche semble se tenir immobile sur une seule jambe ou sauter à cloche-pied, comme s'il était tout à coup frappé de paralysie, figé dans l'air. Au contraire, dans la sculpture, le geste peut se dérouler progressivement, chacune des parties du corps représentant une étape différente du mouvement, ce qui permet de donner à une masse de pierre le sentiment qu'elle bouge, qu'elle est vivante !

L'image ne saurait être pure fidélité à l'espace. L'impossibilité où elle se trouve de tout montrer la protège d'ailleurs de cette tentation. Ce manque irréductible, c'est le mobile de la création, son mouvement secret. Une œuvre est une illusion de fixité. Née d'une métamorphose, elle en prépare une autre. Tandis que les lances d'Uccello, qui semblent faire corps avec le même guerrier, décomposent le temps, l'escrimeur photographié par Marey, précurseur du cinéma au XIXe siècle, se multiplie dans l'espace.

La vraie vanité de la peinture ou de la sculpture ne serait donc pas d'arrêter le temps, mais au contraire de le suivre à la trace, peut-être même de le devancer en déroulant devant lui l'espace, comme on déroulerait devant un marcheur un tapis pour qu'il y laisse ses empreintes.

Daguerréotype de Frédéric Martens montrant Paris depuis les toits du Louvre.

Nous avons reconnu une pipe! Eh bien, nous nous sommes trompés. L'auteur du tableau affirme qu'il n'en est rien. Mais alors, que faut-il voir? Les mécanismes de la vision reposent sur nos yeux qui enregistrent les images aussi simplement qu'une caméra. Mais l'interprétation de ces images est un phénomène complexe dans lequel nos habitudes visuelles, notre imagination, notre culture jouent un rôle fondamental.

CHAPITRE V
LA PART DE L'ŒIL

❝Suivant les règles de la perspective, elles [les gravures] représentent mieux des cercles par des ovales que par d'autres cercles; et des carrés par des losanges que par d'autres carrés;

[...] en sorte que souvent, pour être plus parfaite en qualité d'images, et représenter mieux un objet, elles doivent ne lui pas ressembler.**❞**

Descartes,
La Dioptrique

L'image qui est sous mes yeux représente-t-elle quelque chose? A-t-elle un sens? Et dans quel sens faut-il la voir? Comment puis-je me persuader que mon interprétation est la bonne? L'auteur de l'image, le peintre, le dessinateur ou le photographe, n'est plus là pour le dire. L'image doit «parler» seule, aidée tout au plus par une légende ou par un titre qui constitue presque toujours une indication précieuse quant à son sens. Il n'est pas inutile, par exemple, de savoir que dans la chapelle Sixtine Michel-Ange a voulu représenter le *Jugement dernier*, et non une allégorie des bains turcs. Une image ne se révèle que pour celui qui connaît au préalable, au moins en partie, le contenu représenté, et qui, d'autre part, est capable de voir qu'il existe, entre l'image et ce qu'elle montre, un certain rapport de ressemblance.

La trahison des images : «Ceci n'est pas une pipe!»

En intitulant une de ses toiles qui montre apparemment une pipe, *Ceci n'est pas une pipe*, Magritte met en doute notre aptitude à reconnaître le contenu d'une image. Ce qui semblait de prime abord une évidence est brouillé par le désordre qui s'installe entre les mots et la peinture. Quelque chose se met à vaciller, nous éprouvons un malaise. Le visible et le lisible paraissent se repousser mutuellement. Impossible de les emboîter, ils se nient l'un l'autre.

Mais ce décalage entre le texte et l'image ne fait que renforcer l'impact du titre qui s'impose par son étrangeté comme une clef indispensable à la compréhension du tableau. Par cette négation de l'image, Magritte nous demande de bien vouloir réviser notre jugement. Mais si ce n'est pas une pipe, qu'est-ce donc? C'est une peinture, c'est-à-dire l'image d'une pipe et non une pipe. Non pas l'objet réel, mais une figure qui montre seulement un certain aspect de l'objet, selon un certain point de vue, une certaine interprétation. Le titre ne contredit pas le tableau, il l'affirme autrement.

Un ensemble de taches, un réseau de lignes sollicitent l'imagination toujours avide d'identifier. La photographie, ci-contre, s'interprète aisément : des indigènes assis devant leur hutte. La seconde version, rectifiée par Salvador Dali en 1931, change de sens si on la bascule d'un quart de tour : c'est un visage de femme. Les quelques retouches apportées suffisent à nourrir l'équivoque.

Par ce titre qui court-circuite l'image et met à l'épreuve nos préjugés, le tableau ironique de Magritte appelle le spectateur à ne pas s'arrêter devant la ressemblance. Reconnaître une figure n'est que la première ou la dernière étape qui permet d'entrer dans un tableau. Une peinture même figurative ne loge pas dans un simple titre. Dire «ceci est une pipe» est insuffisant puisqu'il existe une infinité d'images possibles et différentes capables de la représenter, or il n'y a qu'un seul mot pour la désigner. Il a fallu que le peintre choisisse entre toutes ces solutions. C'est peut-être ce choix de l'auteur qu'il faut apprendre à voir, car il est lui aussi porteur d'un sens. Non pas témoin direct de l'objet, mais témoin de la vision qu'il nous en propose. Même devant la nature, disait Delacroix, «c'est notre imagination qui fait le tableau».

Si c'est un poncif de voir dans un nuage un «blanc mouton», ou une vision mystique de découvrir dans les nimbes un cavalier, comme dans le *Saint Sébastien* de Mantegna (à gauche), il est fréquent de regarder une chose comme étant l'image d'une autre, de la doubler d'un sens nouveau propre à notre imagination. Pline l'Ancien rapporte que le roi Pyrrhus possédait une agate dont les veines représentaient naturellement, et sans que l'art y eût contribué, Apollon une cithare à la main, et les neuf muses avec leurs attributs.

Derrière chaque image se cache le choix d'une certaine vision du monde

Un tableau ne déploie jamais toutes ses saveurs parce que voir et revoir n'épuisent jamais le commentaire des yeux. Notre regard n'use pas plus les images que nos paroles ne parviennent à les décrire une fois pour toutes. Si les interprétations d'un tableau sont multiples et même parfois contradictoires, en revanche, la façon dont l'espace est reconstruit, le choix d'une certaine perspective plutôt qu'une autre, est une donnée tangible. Au moins l'image raconte ce choix – celui de montrer

quelque chose comme ça et pas autrement, d'opter pour un certain modèle et pas un autre. S'il n'existe aucune solution «exacte» pour fixer l'espace sur un plan, c'est que toute image – même fondée géométriquement – transforme les choses; elle en privilégie certains aspects.

Par ce choix, l'auteur de l'image nous révèle sa vision du monde, la façon dont il envisage de le faire voir, la place qu'il s'est lui-même attribuée par rapport à cet espace qu'il construit : place théorique et volontairement neutre lorsque le point de vue est rejeté à l'infini, comme dans les perspectives cavalières; place physique et déterminante lorsque le point de vue est fixé comme dans la perspective centrale; place cachée dans les anamorphoses ou bien encore place mouvante dans les rabattements… De sorte que sous l'histoire apparente d'une image, il y a

Ces dames, qui dégustent un repas à la cour du Grand Moghol, sont pleines de cette sérénité qu'évoque pour nous l'Orient. Le calme qui les habite relève d'un ordre que rien ne peut troubler. Pourtant, l'espace qui est le leur, et dont elles s'accommodent, défie notre raison : les montants du dais qui les abrite ne peuvent, selon notre logique, se raccorder aux quatre coins de la terrasse.

d'abord cette manière de mettre en scène l'espace :
le choix d'une perspective qui a pour objet de rendre
intelligible le monde visible, et qui loin de
n'être qu'un facteur de style, est le moyen
par lequel un peintre, plus généralement
une époque de l'histoire, voire une
civilisation entière, parviennent à fixer
les rapports de l'homme avec ce qui
l'entoure. Choisir une perspective suppose
une véritable philosophie de l'espace. Une
image ne représente pas seulement le monde, elle
dévoile la conception qu'on en a.

Les images dites impossibles mettent en évidence l'équivoque inhérente aux représentations planes d'objets tridimensionnels.

Réalité figée, sculpture vivante : de la capture à la relâche

Les rapports entre l'objet et l'image ne sont pas de
simples rapports d'imitation. L'image ne répète pas
l'objet, elle n'est pas une réplique qui se substitue
aux choses comme leur double parfait, mais plutôt
un filet pour les apprivoiser, les saisir. D'ailleurs
les grands mythes à travers lesquels s'articulent les
rapports entre l'objet et l'image sont presque tous
des mythes de capture : l'image attrape quelque chose
qu'elle relâche ensuite aux yeux du spectateur. Deux
mythes célèbres traduisent de façon percutante ces
rapports. Le premier montre cette prise par laquelle
une chose est saisie comme une proie et convertie
en image. C'est le thème de la vie qui se cristallise :
le mythe de la Gorgone, la tête de Méduse dont
le regard pétrifiait et changeait en pierre quiconque
osait la fixer. Le second mythe, lui, règle les rapports

Une escadre de navires avance en ordre serré – de quoi effrayer l'adversaire ! Ruse de guerre dans la bataille des images, cette flotte n'est composée que d'un seul bâtiment : un cuirassé sur les flancs duquel ont été peintes des silhouettes en trompe-l'œil.

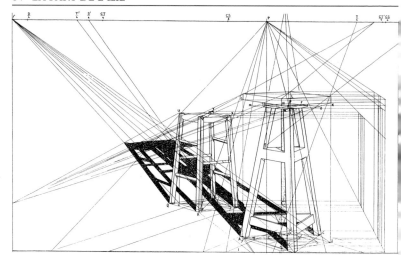

entre l'objet et son image par une trajectoire inverse. C'est le thème fantastique, cher aux Romantiques, de l'image qui devient vivante, du tableau ou de la sculpture qui s'anime : le mythe de l'incarnation, le mythe de Pygmalion. On le retrouve, par exemple, dans la description que fait Balzac de l'auteur du *Chef-d'œuvre inconnu* : «Vous eussiez dit une toile de Rembrandt marchant silencieusement et sans cadre.» Ce thème qui exalte les capacités de l'artiste à recréer en apparence la vie se retourne dans certaines religions, comme l'Islam, contre le peintre : au jour de la résurrection, le plus terrible des châtiments sera infligé à celui qui aura imité les êtres créés par Dieu. Il lui dira alors : «Donne la vie à ces créations !»

De l'image dévoratrice à celle qu'on dévore des yeux

On peut compléter ces deux grands mythes par deux autres, tout aussi symétriques, qui éclairent d'une façon dynamique le rapport entre le spectateur et l'image, la manière dont il s'en empare ou se laisse saisir par elle. Le premier des deux, c'est le mythe du tableau anthropophage dans lequel le spectateur est ravi, happé par l'image qu'il regarde, comme la petite Alice de Lewis Carroll qui, toute brûlante du désir de s'aventurer de l'autre côté du miroir, passe au travers.

Le réseau de lignes que tisse la perspective est un filet jeté sur le monde visible et qui, ancré dans l'idéal géométrique, se rapporte à l'expérience sensible et la saisit.

«Un menuisier – sans doute improvisé – ayant reçu commande d'un mobilier de chambre à coucher conforme à l'image photographique qu'en proposait un catalogue, s'était ingénié à construire lit, table et chaises tels qu'ils se présentent en perspective : comment ne pas complaisamment s'attarder à cette armoire à glace fuyante ?»

André Breton,
Perspective cavalière

Quant au second, c'est un mythe iconophage dans lequel le spectateur absorbe l'image, la «dévore des yeux», comme dans cette nouvelle de Abe Kobo, *Le Crime de monsieur Σ. Karma*, où un homme avale du regard le paysage représenté sur une photographie : «C'était, dit-il, comme si l'image ouvrait une fenêtre sur les profondeurs de ma mémoire.» L'image aspirée par le spectateur n'est plus tournée vers le monde extérieur comme l'était la fenêtre d'Alberti, c'est au contraire une fenêtre qui s'ouvre «en dedans» de celui qui regarde. Le tableau devient alors le reflet d'une perspective intérieure, sorte de miroir de notre espace intime où ce n'est plus dans l'image mais en nous-mêmes que nous trouvons tout ce que nous y voyons. Ce retour vers soi qui ramène à un autre mythe fondateur de la peinture – Narcisse

La déconstruction du système perspectif amorcée par les peintres au XIXᵉ siècle, amène Mondrian, vers 1940, à réduire ses œuvres à un simple damier. Cette mise au carreau, qui nous ramène au plan du tableau, rappelle les cadres munis de treillis au travers desquels les peintres de la Renaissance ont voulu saisir le monde visible. Mais chez Mondrian l'image a disparu, les mailles ont perdu leur transparence, seule reste la grille de lecture avec sa triste trame. Le tableau montre le filet, mais pas la proie. C'est une toile.

se mirant dans l'eau calme d'une fontaine – fait sûrement la part trop belle au spectateur. Si la perspective a partie liée avec la géométrie, elle s'en distingue sur ce point essentiel : elle nous introduit comme sujet qui regarde. Notre présence est requise dans cette construction de l'espace, nous y avons notre place. Nous devons tenir notre rôle de spectateur.

A chacun sa place : une image ça montre, un spectateur ça regarde !

Lorsque nous sommes placés au bon point de vue, l'espace que suggère un tableau semble se prolonger en dehors du cadre, comme si l'image, débordant d'elle-même, venait à notre rencontre nous chercher en avant pour nous inviter dans cette construction imaginaire. Nous sentons qu'avançant vers la toile, nous pourrions franchir sa surface et pénétrer à l'intérieur comme on entre sur une scène.

Mais le point de vue à partir duquel cet espace plan libère son volume est rarement montré. Sa découverte est laissée à l'appréciation du spectateur. C'est à nous – et à nous seuls – qu'il appartient de se repérer par rapport au tableau en tant qu'observateur. Nous devons émettre des suppositions sur la manière de le voir pour nous placer correctement, nous confondre avec le point de vue. Excepté, souvenons-nous, dans l'expérience de Filippo Brunelleschi où le

> **"**Un ustensile endommagé devient son *image.* [...] L'ustensile, ne disparaissant plus dans son usage, *apparaît.* [...] L'art est lié à cette possibilité pour les objets d'«apparaître», c'est-à-dire de s'abandonner à la pure et simple ressemblance derrière laquelle il n'y a rien – que l'être.**"**
> Maurice Blanchot,
> *L'Espace littéraire*

C'est par un «décadrage» que Little Nemo passe du rêve à la réalité. Après s'en être pris à l'artiste – Winsor Mc Cay – qui l'a dessiné, il se réveille brutalement, encore ému par ce mauvais cauchemar.

spectateur était inclus d'office dans le tableau puisque le trou qui servait d'œilleton était directement creusé dans la *tavoletta*. Cet artifice qui permettait, grâce au miroir, d'obtenir la fusion de l'image et du spectateur, était surtout destiné à montrer que cette place est fixée d'entrée de jeu par le peintre, qu'il faut s'y soumettre, qu'il faut littéralement «faire son trou» dans la peinture pour s'installer dans l'espace fictif qu'elle suppose. La perspective, et tout particulièrement la perspective centrale, réduit le spectateur à peu de chose. Il n'existe que sous la forme abstraite d'un minuscule trou, d'un simple point! Mais cette mise au point du spectateur est la clef du tableau.

Boiet comestible

S'il faut de l'imagination pour faire un tableau, il en faut aussi pour le lire

L'image, même la plus simple, n'est évidente que pour celui qui sait la lire. Nous devons, pour entrer dans un tableau, connaître son code, chercher son point de vue s'il existe, tâtonner devant l'image comme si l'on essayait toutes les clefs de son trousseau. Mais certaines images déroutent notre perspicacité.

Plus l'image tente d'être réaliste, plus elle perd ses qualités démonstratives. On a constaté, en réalisant des brochures pour aider les amateurs de champignons à distinguer les espèces comestibles, qu'il y a moins de cas d'intoxication chez ceux qui utilisent des guides représentant chaque espèce par un dessin plutôt que par une photographie. La photographie représente fatalement un champignon particulier dont elle reproduit sans discernement la complexité. En revanche, une illustration peut montrer un champignon type qui vaut pour tous les spécimens de la même espèce. Un dessin peut être porteur d'une intention et ne montrer que des morceaux choisis. Cette simplification oriente la lecture : elle mâche le travail du consommateur.

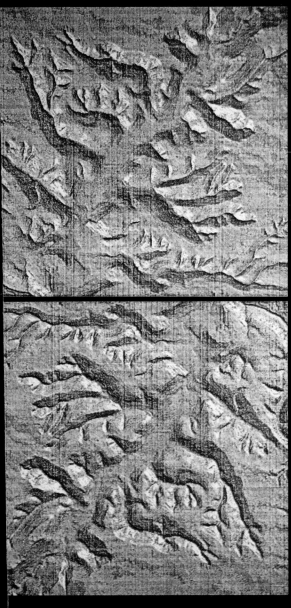

Toute perspective
possède sa
perspective inverse.
L'image qui en résulte
bouleverse la notion
de profondeur, elle
rejette au loin ce qui
nous est proche, et
l'infini vient mourir
à nos pieds. Ce n'est
pas l'arbre qui cache
la forêt, mais l'horizon
qui nous aveugle. Dans
la maquette, en haut
à gauche, l'espace
retroussé fait surgir
au premier plan le mur
du fond. Mais il suffit
d'adopter le point de
vue qui a présidé à
l'inversion pour qu'à
nos yeux les choses
semblent reprendre
leur place (en bas).
Cette propriété qu'ont
les images d'être
réversibles est encore
plus flagrante lorsqu'on
dispose côte à côte
deux images identiques
suggérant un relief,
mais dont l'une est
placée la tête en bas.
Nous présumons alors
que la lumière a la
même orientation
pour les deux images,
et l'interprétation des
ombres nous conduit
à percevoir en creux
dans l'une ce qui est
en plein dans l'autre.

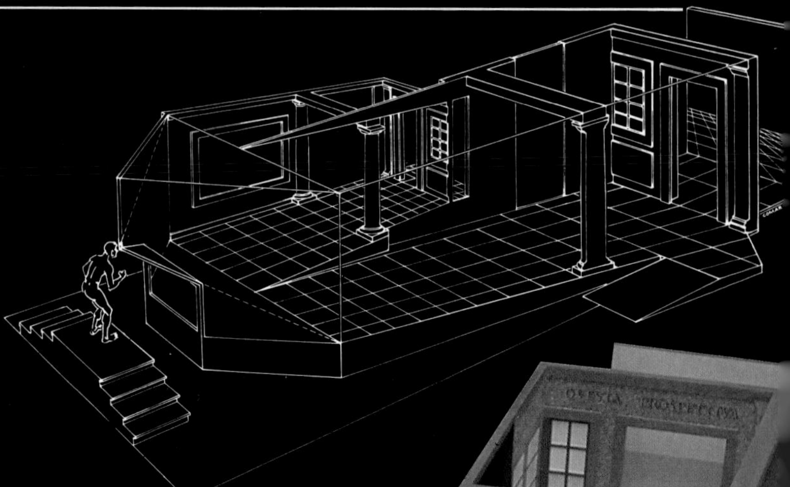

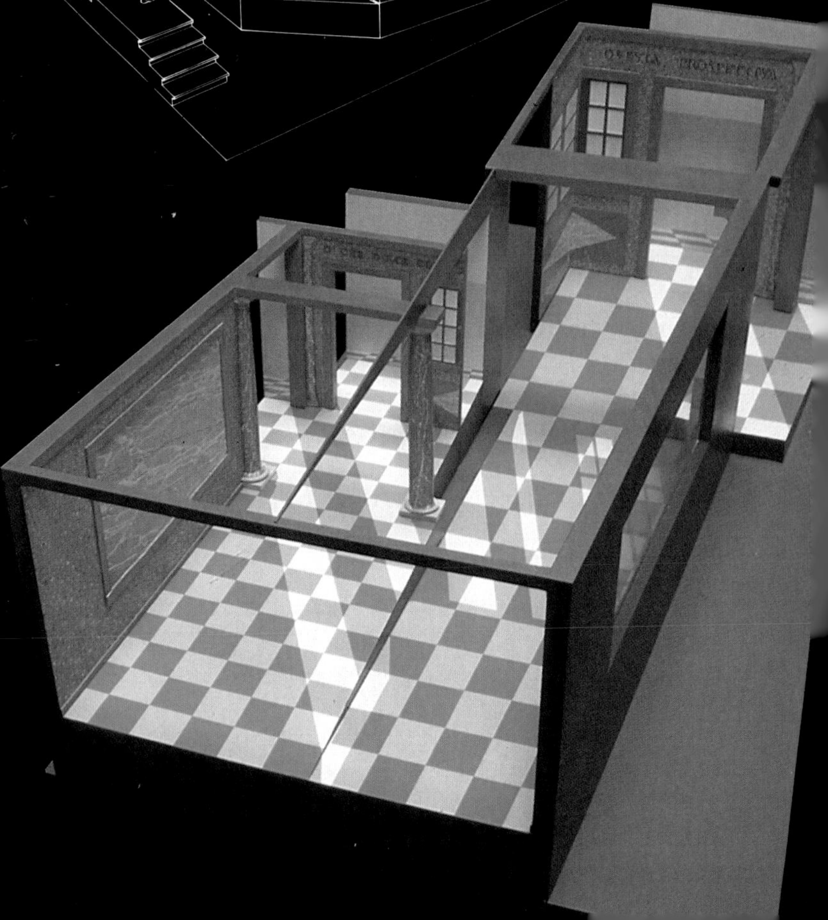

Les tourments de l'interprétation

Par un habile jeu de perspective, deux salles contiguës, l'une en perspective accélérée et l'autre en perspective ralentie se raccordent à partir d'un point de vue et offrent l'illusion d'une salle unique, car nous ne percevons pas la différence de profondeur entre les deux salles. Aussi, dès qu'apparaissent de chaque côté des visiteurs, notre œil,

O CHE DOLCE COSA QVESTA PROSPETTIVA

abusé par la géométrie insolite de cet espace, interprète leur différence d'éloignement comme une différence d'échelle. Incapables de remettre chacun à sa place, nous choisissons pour résoudre ce conflit perceptif la solution la plus improbable – celle qu'avait envisagée Swift pour Gulliver : un monde peuplé de nains et de géants.

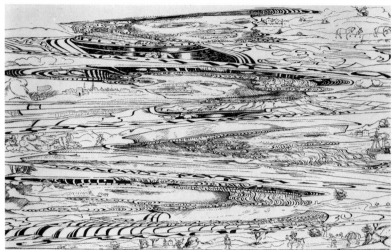

Les anamorphoses, par exemple, sont soumises aux contraintes de la perspective centrale qui impose au spectateur d'adopter un point de vue précis. Leurs auteurs ont tiré parti de cet inconvénient pour construire des figures qui apparaissent d'un point de vue inhabituel. Pour que l'anamorphose révèle son secret, le spectateur ne doit plus faire face à l'image, car ce n'est plus de front mais de biais qu'il faut la regarder.

Ces représentations, à première vue déformées, ne sont pas de simples curiosités d'optique. Les anamorphoses nous font prendre conscience que la perspective n'est pas par elle-même un facteur de réalisme et que nos habitudes de lecture nous jouent parfois des tours. Elles montrent qu'une image a besoin d'un mode d'emploi, tout comme une friteuse électrique. Mais à l'inverse des ustensiles courants, ce mode d'emploi n'est pas fourni, et c'est seulement parce que nous sommes confrontés depuis l'enfance à certains types d'images que nous avons appris à les lire, tout comme un architecte apprend à lire un plan, un médecin une radiographie. Toutefois notre expérience, si étendue soit-elle, ne peut effacer un doute. Comment être persuadés que nous sommes en possession de la bonne clef ? Une image comme

Quels fantômes planent sur ce paysage houleux ? Des collines et des villes s'étagent sans horizon, cernant dans leurs entrelacs personnages et animaux. Pour que cet enchevêtrement confus de traits se résorbe et que transparaisse le secret, il faut placer son œil tout près de la gravure, d'un côté puis de l'autre ; alors surgissent les effigies de Charles Quint, de Ferdinand Ier, du pape Paul III et de François Ier. En haut à droite, la compression du dessin offre une restitution approximative des souverains de ce *Vexierbild* («image vexante») gravée par Erhard Schön.

l'anamorphose est-elle la représentation non conventionnelle d'un objet normal, ou bien la représentation conventionnelle d'un objet déformé ? Nous sommes condamnés à émettre des suppositions. Le contenu de toute image repose sur une ambiguïté : il n'existe de ressemblance qu'au regard d'un objet connu. La représentation d'une chose dont la forme nous serait étrangère n'aurait aucun sens. L'image ne serait qu'une étendue plate couverte de taches et de traits, accumulés sans ordre ni raison, et qui resterait à nos yeux abstraite. Pour «re-connaître», nous devons établir, au moins par approximation, des similitudes avec des choses déjà vues. L'interprétation ne se fait sans ambiguïté que si l'on formule des hypothèses sur la nature de l'objet que l'on tente d'identifier. Et si l'objet paraît impossible – comme c'est le cas pour *L'Escalier sans fin* qui semble ne pouvoir ni monter ni descendre –, c'est que nos hypothèses sont tout bonnement fausses. Notre imagination nous fait défaut, nous ne parvenons pas à concevoir un objet en volume compatible avec la figure qui est sous nos yeux. A la limite, l'interprétation d'une image n'échappe jamais complètement au cercle vicieux du déchiffrement : il faut avoir compris pour comprendre.

Si l'anamorphose, plane ou volumétrique, intrigue et fascine, c'est qu'elle révèle cette ambiguïté de l'image en jouant sur le double tableau de la différence et de la ressemblance. Son principe, comme celui de toute image,

L'objet représenté ci-dessous en haut nous paraît impossible car nous avons émis inconsciemment l'hypothèse suivante : il s'agit d'un escalier dont les marches forment entre elles des angles droits. Ce n'est pas l'objet qui est impossible, mais notre hypothèse qui est fausse. En bas, la *même* maquette, photographiée selon un point de vue différent, dévoile l'artifice de la construction.

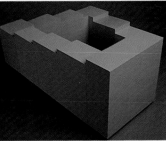

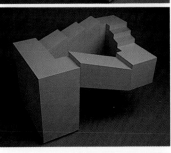

est d'exciter le plaisir de découvrir le «même» alors qu'elle s'affiche comme un «autre». Cette façon d'exacerber la ressemblance, de la mettre en scène en la cachant d'abord, laisse supposer qu'elle est en soi un objet de contemplation, une suffisance. «Quelle vanité que la peinture qui attire l'admiration par la ressemblance de choses dont on n'admire point les originaux!» s'étonnait Pascal qui ne voyait dans la peinture qu'une vaine tentative d'imitation.

Magritte insiste : «Ceci continue de ne pas être une pipe»

Si la géométrie permet dans une large mesure de fonder la ressemblance entre une image et un objet, il reste à apprécier ce qui les sépare. Nous savons qu'il suffirait de confronter le tableau de Magritte avec une vraie pipe pour qu'éclate la différence; nous ne confondrions jamais le portrait d'un homme avec

l'homme lui-même, une carte de l'Italie avec le pays qui porte ce nom. Or, cette différence, ce décalage est fécond : il donne un sens à l'image. Si elle n'était qu'une simple répétition

L'anamorphose du crâne, qui gît aux pieds des *Ambassadeurs* de Holbein, peint en 1533, oblige le regard à se mouvoir devant le tableau, à basculer d'un point à un autre, lui imposant le changement à vue qui est la finalité de toute œuvre : déplacer le regard au-delà des apparences pour mettre à jour l'ossature des choses.

Les images participent à notre univers visuel autant que les choses qu'elles représentent, mais elles n'ont de place et de sens par rapport à elles que si elles introduisent une différence.

du monde visible, elle se confondrait parmi les choses, et nous n'aurions rien à découvrir, rien à surprendre. C'est parce qu'une image n'imite pas seulement les choses mais qu'elle les transpose dans un espace différent, en les reconstruisant selon une règle déterminée, qu'elle nous apprend à les voir. La prétention au réalisme parfait n'a pas de sens : toute bonne image relève d'une abstraction. Si le plan d'une ville rend intelligible le réseau de ses rues, ce n'est pas tant parce qu'il imite la ville, mais parce qu'il construit un espace à l'intérieur duquel nous pouvons l'expérimenter et où le visible devient lisible.

A cet égard la perspective joue un rôle important. Les multiples approches de l'espace qu'elle autorise sont comme des filtres à travers lesquels nous regardons ce qui nous entoure ; chacun d'eux permet de discerner quelque chose que l'on n'aurait pas pu saisir autrement. Proust disait de ses livres qu'ils étaient des instruments d'optique offerts au lecteur : «Regardez vous-même si vous voyez mieux avec ce verre-ci, avec celui-là, avec cet autre.»

De même la perspective permet d'y voir clair, d'ouvrir des horizons. Non pas de reproduire la complexité du visible, mais d'en dégager les éléments saillants, d'en faire surgir les contrastes en donnant au regard des outils pour lire le monde.

Chaque culture est si bien accoutumée à un type d'images particulier à travers lequel elle se reconnaît, qu'elle ne saurait envisager un autre mode de représentation sans en discréditer aussitôt la vraisemblance. En outre, aveugle aux défauts du miroir où elle se reflète, elle ne soupçonne pas qu'elle en subit à son insu les inévitables distorsions, dont les conséquences se font sentir, sans doute, jusque dans les règles qui dictent à chacun sa conduite quotidienne. Ici, le capitaine Haddock, emporté par sa colère, répond aux menaces du général Tapioca en s'adressant directement au téléviseur.

... tirent les ficelles de cet odieux complot !... Qu'il tremble, cet infâme capitaine Haddock !...Qu'ils tremblent, le fielleux Tintin et le fourbe Tournesol !...

Fourbe toi-même, eh! patate !... Fielleux, pas tant que toi, espèce de marchand de guano!

TÉMOIGNAGES
ET DOCUMENTS

L'image donne à voir
et même à revoir,
mais elle construit aussi
un espace où se trame
un discours sur le visible.

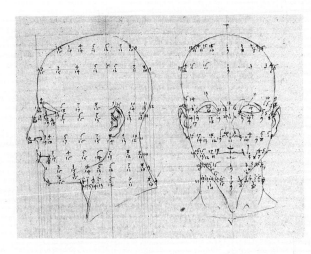

La mémoire sous les cendres

L'Antiquité – grecque ou romaine – avait-elle développé des «théories» sur la représentation de l'espace? Les rares œuvres et les quelques textes qui nous sont parvenus montrent que les conventions picturales étaient partagées entre, d'une part, la recherche d'un «idéal» plastique et, d'autre part, la recherche d'un «réalisme» qui, selon les critères de l'époque, faisait illusion. Mais presque toutes les œuvres conservées manquent de rigueur dans leur construction. Elles ne semblent en tout cas jamais pouvoir obéir à une règle systématique.

Cette fresque d'une villa romaine d'Oplontis, du Ier siècle av. J.-C. (à droite), est un exemple assez rare de colonnade où toutes les lignes fuyantes convergent vers un point unique.

Les décors de théâtre d'Agatharcus

C'est dans un texte célèbre, mais qui reste par bien des aspects obscur, que Vitruve décrit la perspective utilisée dans les décors de théâtre au temps d'Eschyle.

Agatharcus fut le premier, lorsque Eschyle fit représenter ses tragédies à Athènes, à faire un décor de théâtre, laissant sur ce sujet un traité. Stimulés par cet exemple, Démocrite et Anaxagore ont rédigé un écrit sur le même thème, c'est-à-dire sur la manière dont, quand on suppose le centre en un lieu déterminé, les lignes doivent, selon les lois de la nature, correspondre au lieu de la faculté visuelle et à l'extension en ligne droite des rayons visuels, afin que des images puissent dans les peintures de scène reproduire les édifices tels qu'ils nous apparaissent et afin que, sur des surfaces planes placées de front, l'image peinte paraisse avancer en des endroits et reculer en d'autres.

Vitruve,
Les Dix Livres d'architecture,
Ier s. av. J.-C., livre VII, préface

Les peintures en trompe-l'œil de Parrhasios

Les légendes racontent que certains peintres grecs – cinq siècles avant notre ère – avaient une telle maîtrise de leur art que leurs tableaux, qui offraient une ressemblance frappante avec les objets réels, pouvaient tromper hommes et bêtes.

Dans son *Histoire Naturelle* (livre XXXV, 65-66), Pline l'Ancien rapporte la légende de Zeuxis – peintre originaire d'Héraclée – qui peignit si parfaitement des grappes de raisin que les oiseaux venaient les becqueter, ce qui gonfla l'artiste d'orgueil.

Mais le peintre Parrhasios voulut faire mieux en trompant Zeuxis lui-même. Il peignit un rideau en trompe-l'œil avec tant de perfection que son rival Zeuxis lui pria de le retirer pour voir la peinture qu'il pensait être cachée dessous. S'apercevant de son erreur, il s'avoua vaincu parce qu'il n'avait trompé que des oiseaux, alors que Parrhasios avait trompé un peintre.

Pline rapporte encore que «Zeuxis peignit, plus tard, un enfant portant des raisins. Des oiseaux étant venus voleter auprès de ces derniers, Zeuxis, en colère contre son œuvre, s'avança et dit : "J'ai mieux peint les raisins que l'enfant, car, si je l'avais aussi parfaitement réussi, les oiseaux auraient dû avoir peur".»

Mais la même histoire est racontée par Sénèque le Rhéteur (*Controv.* X, v, 27) avec une conclusion radicalement différente : «Zeuxis, dit-il, effaça les raisins et conserva la partie la meilleure, non la plus ressemblante du tableau.» La représentation de l'enfant serait meilleure que celle des raisins, car elle serait «idéalisée» et donc supérieure à la simple imitation de la nature.

Une Athéna sculptée par Phidias

Au Ve siècle av. J.-C., lors d'un concours qui opposa les deux plus grands sculpteurs grecs, pour une Athéna destinée à être placée en haut d'une colonne, Alcamène sculpta une statue aux proportions harmonieuses tandis que Phidias sculpta une figure aux membres déformés avec une bouche béante et un nez étiré.

Le jour de la confrontation, Alcamène obtint tous les applaudissements alors que son rival manqua d'être lapidé. Mais lorsque les sculptures furent mises en place, la situation se renversa. Placée au sommet de la colonne, la sculpture d'Alcamène devint un objet de risée car les formes élégantes de sa figure paraissaient écrasées par le raccourci, tandis que la sculpture de Phidias, aux proportions objectivement inexactes, remplit les esprits d'étonnement car elle prit une grande beauté.

D'après Jean-François Niceron,
La Perspective curieuse,
1638, livre II

L'œil et la trace

Vers 1415, Filippo Brunelleschi réalise à Florence deux expériences célèbres qui démontrent les grands principes de la perspective centrale. Les deux panneaux peints qu'il réalisa pour ces expériences sont aujourd'hui perdus, mais son biographe Antonio di Tuccio Manetti nous en donne une description précise dans un texte rédigé un demi-siècle plus tard : La Vita di Ser Filippo Brunelleschi.

Reconstitution du second panneau de Brunelleschi, par A. Parronchi, représentant le palais de la Seigneurie à Florence.

C'est lui qui vers cette époque [1415] promut et expérimenta ce que les peintres nomment aujourd'hui perspective, car elle est la partie de cette science de la vision qui consiste à rendre avec exactitude et rationnellement la diminution ou l'agrandissement des choses qui résultent pour l'œil humain de leur éloignement ou de leur proximité; [...] c'est lui qui inventa la règle qui est le fondement de tout ce qui s'est fait depuis lors en la matière.

Première expérience

La première chose qui révéla cette science de la perspective fut un panneau d'environ une demi-brasse carrée où il peignit l'extérieur de l'église San Giovanni de Florence, autant qu'on en voit en le regardant du dehors, comme si pour le représenter il s'était enfoncé de trois brasses environ dans la porte centrale de Sainte-Marie-de-la-Fleur. Il était peint avec tant de soin et d'artifice, et tant de précision dans les couleurs des marbres blancs et noirs, qu'aucun miniaturiste n'aurait fait mieux. Filippo avait aussi représenté cette partie de la place que voit l'œil du spectateur, c'est-à-dire le côté d'en face de la Misericordia jusqu'à la voûte et au Canto de Pecori, le côté de la colonne du miracle de saint Zanobi jusqu'au Canto alla Paglia, et tout ce qu'on voit au loin; pour ce qu'on voyait du ciel, c'est-à-dire là

où les murailles représentées se détachaient dans l'atmosphère, il était d'argent bruni, afin que l'air et le ciel réel s'y réfléchissent, et de même les nuages entraînés par le vent quand il souffle. Comme le peintre doit supposer un seul point pour voir sa peinture, tant en hauteur qu'en largeur et de biais comme de loin, afin qu'on ne pût se tromper en le regardant, puisque tout changement de lieu entraîne une vision différente, il avait fait dans le panneau supportant cette peinture un trou au point exact de l'église San Giovanni où frappait le regard de qui se trouverait à l'intérieur de la porte centrale de Sainte-Marie-de-la-Fleur, endroit où il se serait placé s'il l'avait peint sur le motif. Ce trou était petit comme une lentille du côté de la peinture, s'élargissant en pyramide, comme un chapeau de paille de femme, du côté du revers, jusqu'à atteindre la circonférence d'un ducat ou un peu plus. Il voulait que celui qui regardait appliquât l'œil au revers, là où le trou était large, qu'une main fût placée près de l'œil et que l'autre tînt, face à la peinture, un miroir plan où celle-ci vînt se réfléchir : la distance entre le miroir et la seconde main était proportionnellement, en brasses minuscules pour ainsi dire, la même qu'en brasses réelles entre l'endroit où il supposait s'être mis pour peindre et l'église San Giovanni ; si bien qu'en le regardant, grâce aux autres éléments dont on a parlé, l'argent bruni, la place, etc., et de ce point, on croyait voir la réalité même. Ayant eu ce dispositif en main et l'ayant vu plusieurs fois jadis, je peux en porter témoignage.

Deuxième expérience

Il fit aussi une peinture en perspective de la place du palais de la Seigneurie à Florence, avec tout ce qui se trouve dessus et autour, autant que peut embrasser la vue quand on est hors de la place ou au même niveau, le long de la façade de l'église San Romolo, une fois passé le Canto di Calimala francesca, qui s'ouvre sur cette place à quelques brasses du côté d'Or San Michele ; de là on voit deux façades du palais de la Seigneurie, celle exposée à l'ouest et celle exposée au nord ; c'est une chose merveilleuse à voir, ainsi que toutes les autres qui s'offrent à la vue sur cette place. Plus tard, Paolo Uccello et d'autres peintres voulurent copier et imiter cette peinture ; j'en ai vu plus d'un exemple, mais ce n'était jamais aussi réussi. On pourrait ici se demander pourquoi Filippo ne fit pas à cette peinture, puisqu'elle était en perspective, un trou pour la vue comme au panneau de San Giovanni. C'est parce que le panneau représentant une si vaste place devait être si grand pour y peindre tant de choses diverses qu'on ne pouvait pas, comme dans le cas de San Giovanni, le soutenir d'une main à hauteur du visage, l'autre soutenant le miroir : le bras de l'homme n'est pas assez long pour pouvoir, en tenant le miroir à la main, le tendre jusqu'en face du point de fuite à la distance voulue, ni assez fort pour soutenir le panneau. Aussi laissa-t-il cela à la discrétion du spectateur, comme font les autres peintres pour leurs tableaux, bien que le spectateur ne choisisse pas toujours le point juste. Là où dans la peinture de San Giovanni il avait mis de l'argent bruni, cette fois il découpa les planches du panneau sur lequel il avait peint le long du contour supérieur des édifices ; et il se rendait à un endroit où l'atmosphère naturelle apparaissait au-dessus des maisons.

in *Filippo Brunelleschi*,
Supplément aux
Cahiers de la recherche architecturale,
n° 3, C.E.R.A., Paris

Une proie derrière la vitre

Pour Léonard de Vinci (1452-1519), un tableau est une fenêtre ouverte sur le monde : une vitre transparente sur laquelle on marque toutes les choses visibles au travers. Il consacre de nombreuses pages de ses Carnets *à exposer ses différentes réflexions sur la peinture et sur la perspective.
«Je me mire et me vois ange! et je meurs, et j'aime
– Que la vitre soit l'art, soit la mysticité –» (Stéphane Mallarmé,* Les Fenêtres).

La paroi de verre

La perspective n'est rien d'autre que la vision d'un objet derrière un verre lisse et transparent, à la surface duquel pourront être marquées toutes les choses qui se trouvent derrière le verre; ces choses approchent le point de l'œil, sous forme de diverses pyramides que le verre coupe. [...]

La perspective est une démonstration rationnelle par quoi l'expérience confirme que toute chose transmet à l'œil son image en ligne conique.

Comment représenter une scène

Prends un verre grand comme une demi-feuille de papier folio royal et assujettis-le bien devant tes yeux, c'est-à-dire entre ton œil et ce que tu veux représenter. Puis éloigne ton œil de deux tiers de brasse du verre, et fixe ta tête au moyen d'un instrument, de façon à l'empêcher de faire aucun mouvement; ferme ou couvre un œil, et avec un pinceau ou un bout de sanguine finement broyée, marque sur le verre ce qui est visible au-delà; reproduis-le en décalquant le verre sur un papier, puis reporte-le sur du papier d'une qualité supérieure et peins-le si tu veux, en tenant compte de la perspective aérienne.

Pour bien poser une figure

Veux-tu t'habituer à donner à tes figures des poses correctes et bonnes, fixe entre ton œil et le modèle nu un châssis ou un métier, divisé en carrés au moyen de fils, et reproduis d'un trait léger les mêmes carrés sur le papier où tu veux dessiner ce nu. Tu placeras ensuite sur une partie du treillis une boulette de cire qui te servira de repère et qui, lorsque tu regardes le modèle, devra toujours couvrir le creux

L'œil maintenu par un viseur, Léonard de Vinci s'applique à représenter une sphère sur une paroi vitrée.

de la gorge; ou, s'il a le dos tourné, fais qu'elle recouvre une des vertèbres cervicales. Ces fils t'enseigneront les parties du corps qui, à chaque mouvement, se trouvent au-dessous du creux de la gorge, sous les angles des épaules, sous les tétons, les hanches et autres parties du corps; les lignes transversales du treillis t'indiqueront combien la figure est plus haute au-dessus de la jambe sur laquelle elle pose qu'au-dessus de l'autre; et ainsi des hanches, des genoux et des pieds. Mais fixe toujours perpendiculairement ton treillis, et aie soin que toutes les divisions du nu qui y figurent soient réparties également dans celui de ton dessin.

Principes de perspectives

La perspective selon laquelle une chose est représentée se comprendra mieux si l'on se place au point de vue d'où elle fut dessinée.

Si tu veux figurer une chose proche, qui produise l'effet naturel, il est possible que ta perspective ne semble défectueuse à cause des apparences illusoires et des erreurs de proportion qui ne peuvent manquer dans une œuvre médiocre, à moins que celui qui regarde cette perspective ne l'examine en considérant l'exacte distance, la hauteur, l'angle de vision ou le point où tu étais placé quand tu la dessinas. Il faudrait donc faire une fenêtre grande comme ton visage, ou en vérité un trou par où tu regarderais cette ouverture. [...]

Mais cette invention contraint le spectateur à regarder par un petit trou; et ainsi, il le verra bien. Or, comme il y a beaucoup d'yeux rassemblés pour contempler en un même temps une seule et même œuvre produite par cet art, seul l'un d'entre eux verra bien l'office de la perspective, et les autres n'en auront qu'une vision confuse.

Les Carnets de Léonard de Vinci,
traduction de L. Servicen,
Tome II, «Tel», Gallimard, 1987

L'art de la machine

L'histoire des «machines à dessiner» témoigne des difficultés qu'ont éprouvées les hommes à représenter d'une façon rationnelle sur un plan l'espace à trois dimensions. Ces machines, qui doivent en principe fournir une aide mécanique au dessinateur, ont d'abord été des instruments de recherche. Elles ont permis de concrétiser quelques-unes des grandes étapes théoriques de la perspective.

Les premiers instruments

En cherchant à représenter rationnellement l'espace, les théoriciens de la Renaissance élaborent les premiers concepts de la perspective : une méthode optico-géométrique pour construire sur une surface plane l'image d'un corps en volume.

Les premières «machines à dessiner» ou perspectographes font leur apparition au début du XVIᵉ siècle. Ces instruments – comme ceux qui figurent dans le traité *Underveysung der Messung* de Dürer – marquent plus une étape conceptuelle qu'une véritable aide apportée au dessinateur. Ce sont avant tout des outils dont la vocation est de montrer les grands principes de la perspective centrale.

Les différents procédés imaginés consistent essentiellement à immobiliser l'œil du dessinateur, puis à déterminer l'intersection d'un rayon visuel avec le plan du tableau. Ce dernier étant matérialisé par un châssis muni d'une vitre ou d'un treillis, ou encore équipé d'un «portillon» mobile lorsque le rayon visuel est concrétisé par un fil tendu entre le point de vue et l'objet comme dans le *Perspectographe au luth*.

Ces instruments (*Perspectographe à translation* du Lyonnais Servières, *Instrument catholique* du R. P. Niceron, *Cadre de visée* de R. Fludd, *Diagraphe* de Gavard, *Octan* à perspective d'Eckersberg…) présentent l'inconvénient d'être encombrants et souvent d'un emploi délicat : la méthode de «saisie» optique se révèle longue et fastidieuse. En outre, la machine ne remplace pas l'artiste; elle ne retire pas la nécessité, pour celui qui l'utilise, de choisir parmi les éléments visibles ceux qui sont porteurs d'un sens.

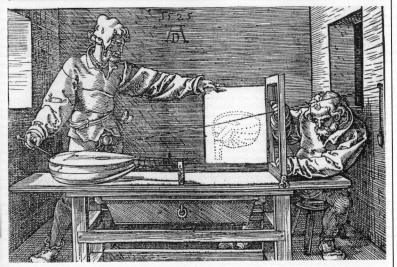

Les perspectographes de Dürer : à la femme couchée, à la cruche, au luth (de haut en bas).

Chambre obscure transportable figurant dans l'article «Dessin» de l'*Encyclopédie*.

Les chambres noires

La chambre noire ou *camera oscura* était déjà connue dans l'Antiquité, au moins depuis Aristote. Son procédé est simple, il suffit de faire pénétrer le jour dans une pièce, par un orifice assez petit pour que la lumière émise par les objets situés à l'extérieur compose une image inversée sur le mur qui fait face au trou. L'image ainsi formée est une perspective centrale.

Son utilisation comme instrument à dessiner n'est pratiquement possible que si l'on y associe une lentille. Il semble que ce soit le physicien napolitain Giambattista della Porta qui, à la fin du XVIe siècle, en fit le premier l'expérience. Mais il faut attendre le XVIIe siècle pour trouver des descriptions précises de ces instruments, comme celle fournie par Athanase Kircher dans son *Ars Magna*. Le développement des chambres noires semble être important au XVIIIe siècle. Elles sont utilisées par les peintres sous la forme de chambres portatives. L'image inversée y est redressée par un miroir, ou bien directement projetée au dos d'un écran translucide – un simple papier huilé faisant office de dépoli. Cette dernière méthode offre au peintre l'avantage de ne pas avoir à travailler dans l'obscurité totale pour effectuer le report de l'image.

Au début du XIXe siècle, il suffit que Niepce et Daguerre introduisent dans une chambre noire une plaque sensible à la lumière pour que l'image s'y fixe, et qu'apparaisse alors la première photographie.

La perspective mécanique

A partir du XVIIe siècle, les développements de la géométrie conduisent les mathématiciens à s'intéresser à la perspective d'un point de vue purement théorique. Ils ne recourent à la pratique que pour démontrer l'exactitude de leurs spéculations. Ils inventent des machines à dessiner en transposant des figures de géométrie en systèmes mécaniques.

Cette nouvelle génération d'instruments permet de construire une perspective par un système savant composé de règles mobiles qui coulissent et s'articulent entre elles. Mais le fonctionnement de ces machines relève autant du domaine de l'imaginaire que du domaine de la pratique. Il faut apprendre à contempler l'objet dans son immobilité car l'agencement subtil de ses pièces est, à lui seul, la solution d'un problème. La disposition des leviers t des pivots matérialise la relation géométrique entre une figure dans un plan donné et son image en perspective. Quant au fonctionnement réel de l'instrument, il prend la valeur d'une démonstration : «Si la machine marche, le théorème est prouvé!»

Le premier instrument de ce type a été imaginé par un mathématicien alsacien, Jean-Henri Lambert, dans son *Essai sur la perspective* en 1752. Les bras articulés, les crémaillères, les tiges guidées et les vis ont remplacé le traditionnel châssis vitré. Quant à l'œil du dessinateur qui était l'élément central des premiers instruments à perspective, il a lui aussi disparu. Il n'est plus désormais qu'un point abstrait rabattu dans la construction d'une figure mathématique, un rouage, parmi d'autres, dans une machine aveugle.

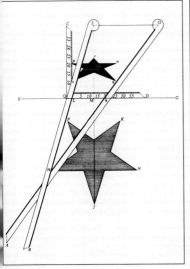

E toile mise en perspective à l'aide d'un instrument de Jean-Henri Lambert.

Le dessin assisté par ordinateur

Le développement de l'informatique a permis, à partir des années 1960, de créer des ordinateurs capables de calculer et de tracer des images en perspective. Cette technique, la C.A.O. – conception assistée par ordinateur –, s'est largement répandue auprès des architectes et des ingénieurs.

On distingue deux étapes principales pour générer ces images.

– La première étape, la «modélisation», consiste à décrire les objets que l'on veut représenter pour pouvoir les mettre en mémoire dans l'ordinateur. L'une des méthodes les plus utilisées revient à assimiler les formes à des corps géométriques simples composés de volumes à facettes. Dans cette simplification, le rôle de l'opérateur est déterminant puisqu'il doit choisir les traits les plus caractéristiques de l'objet.

– La seconde étape, la «visualisation», consiste à faire calculer par l'ordinateur l'image de l'objet modélisé à partir d'un programme spécifique en fonction du type de perspective désiré (axonométrie, perspective centrale, perspective sphérique, etc.) en déterminant au préalable la situation exacte du point de vue, et l'orientation dans l'espace du plan de projection.

Les images ainsi produites, visualisées sur un écran graphique ou dessinées sur une table traçante, peuvent offrir différentes formes de rendu. Le plus simple est dit en «fil de fer» car les objets sont représentés uniquement par des arêtes; les plus élaborés permettent de colorier et d'ombrer les surfaces, et même de simuler des dégradés dans les lointains ou encore d'offrir des effets de matières.

Philippe Comar

Le point sublime

Pour montrer que l'ordre du monde ne peut se révéler qu'à partir d'un point de vue souverain, les moralistes du XVIIe siècle ont eu recours au modèle de la perspective. «Il n'y a qu'un point indivisible qui soit le véritable lieu pour voir un tableau, les autres sont trop près, trop loin, trop haut ou trop bas. La perspective l'assigne dans l'art de la peinture. Mais, dans la vérité et dans la morale, qui l'assignera?» (Pascal, Pensées).

Quand je considère en moi-même la disposition des choses humaines, confuse, inégale, irrégulière, je la compare souvent à certains tableaux, que l'on montre assez ordinairement dans les bibliothèques des curieux comme un jeu de la perspective. La première vue ne vous montre que des traits informes et un mélange confus de couleurs, qui semble être ou l'essai de quelque apprenti, ou le jeu de quelque enfant, plutôt que l'ouvrage d'une main savante. Mais aussitôt que celui qui sait le secret vous les fait regarder par un certain endroit, aussitôt toutes les lignes inégales venant à se ramasser d'une certaine façon dans votre vue, toute la confusion se démêle, et vous voyez paraître un visage avec ses linéaments et ses proportions, où il n'y avait auparavant aucune apparence de forme humaine. C'est, ce me semble, messieurs, une image assez naturelle du monde, de sa confusion apparente et de sa justesse cachée, que nous ne pouvons jamais remarquer qu'en le regardant

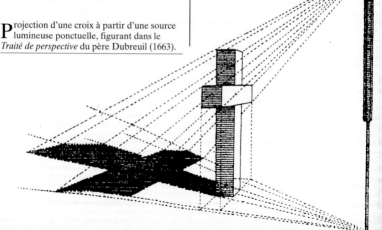

P rojection d'une croix à partir d'une source lumineuse ponctuelle, figurant dans le *Traité de perspective* du père Dubreuil (1663).

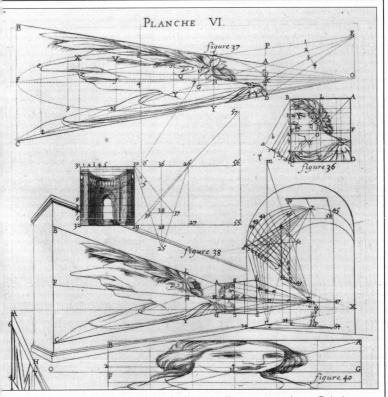

Épures de constructions d'anamorphoses, ici d'une tête d'empereur romain, par Grégoire Huret, en 1670.

par un certain point que la foi en Jésus-Christ nous découvre. [...]

Le libertin inconsidéré s'écrie aussitôt qu'il n'y a point d'ordre : il dit en son cœur : «Il n'y a point de Dieu», ou ce Dieu abandonne la vie humaine aux caprices de la fortune : *Dixit insipiens in corde suo : Non est Deus*. Mais arrêtez, malheureux, et ne précipitez pas votre jugement dans une affaire si importante. Peut-être que vous trouverez que ce qui semble confusion est un art caché; et si vous savez rencontrer le point par où il

faut regarder les choses, toutes les inégalités se rectifieront, et vous ne verrez que sagesse où vous n'imaginiez que désordre.

Oui, oui, ce tableau a son point, n'en doutez pas; et le même Ecclésiaste, qui nous a découvert la confusion, nous mènera aussi à l'endroit par où nous contemplerons l'ordre du monde.

J.-B. Bossuet,
Sermon pour la deuxième semaine de Carême, prêché au Louvre le 8 ou le 10 mars 1662

Les éclipses de la perspective

La rencontre du jeune narrateur avec le peintre Elstir permet à Marcel Proust, dans A la recherche du temps perdu, *de développer son analyse sur les mécanismes de la création. Il y souligne le caractère relativiste de la perspective.*

L'atelier d'Elstir m'apparut comme le laboratoire d'une sorte de nouvelle création du monde, où, du chaos que sont toutes choses que nous voyons, il avait tiré, en les peignant sur divers rectangles de toile qui étaient posés dans tous les sens, ici une vague de la mer écrasant avec colère sur le sable son écume lilas, là un jeune homme en coutil blanc accoudé sur le pont d'un bateau. Le veston du jeune homme et la vague éclaboussante avaient pris une dignité nouvelle du fait qu'ils continuaient à être, encore que dépourvus de ce en quoi ils passaient pour consister, la vague ne pouvant plus mouiller, ni le veston habiller personne. [...]

Naturellement, ce qu'il avait dans son atelier, ce n'était guère que des marines prises ici, à Balbec. Mais j'y pouvais discerner que le charme de chacune consistait en une sorte de métamorphose des choses représentées, analogue à celle qu'en poésie on nomme métaphore, et que, si Dieu le Père avait créé les choses en les nommant, c'est en leur ôtant leur nom, ou en leur en donnant un autre, qu'Elstir les recréait. Les noms qui désignent les choses répondent toujours à une notion de l'intelligence, étrangère à nos impressions véritables, et qui nous force à éliminer d'elles tout ce qui ne se rapporte pas à cette notion.

[...] Chaque artiste recommençant pour son compte un effort individuel ne peut y être aidé ni entravé par les efforts de tout autre [...]. Or, l'effort d'Elstir de ne pas exposer les choses telles qu'il savait qu'elles étaient, mais selon ces illusions optiques dont notre vision première est faite, l'avait précisément amené à mettre en lumière certaines de ces lois de perspective, plus frappantes alors, car l'art était le premier

L e *Pont de Morey*, de Sisley, l'un des peintres qui aurait servi de modèle à Proust pour le personnage d'Elstir.

à les dévoiler. Un fleuve, à cause du tournant de son cours, un golfe, à cause du rapprochement apparent des falaises, avaient l'air de creuser au milieu de la plaine ou des montagnes un lac absolument fermé de toutes parts […]. Un fleuve qui passe sous les ponts d'une ville était pris d'un point de vue tel qu'il apparaissait entièrement disloqué, étalé ici en lac, aminci là en filet, rompu ailleurs par l'interposition d'une colline couronnée de bois où le citadin va le soir respirer la fraîcheur du soir; et le rythme même de cette ville bouleversée n'était assuré que par la verticale inflexible des clochers qui ne montaient pas, mais plutôt, selon le fil à plomb de la pesanteur marquant la cadence comme dans une marche triomphale, semblaient tenir en suspens au-dessous d'eux toute la masse plus confuse des maisons étagées dans la brume, le long du fleuve écrasé et décousu. Et (comme les premières œuvres d'Elstir dataient de l'époque où on agrémentait les paysages par la présence d'un personnage) sur la falaise ou dans la montagne, le chemin, cette partie à demi humaine de la nature, subissait, comme le fleuve ou l'océan, les éclipses de la perspective.

Marcel Proust,
A l'ombre des jeunes filles en fleurs,
A la recherche du temps perdu,
Gallimard

Image en soi, image de soi

Les poètes et les écrivains ont souvent comparé les images de la mémoire à des images peintes. Fruits de nos émotions et de nos passions, ces tableaux intimes sont comme des œuvres réelles. Avec le temps ils s'altèrent et perdent leur éclat. Ils endurent nos retouches, nos ajouts, subissent nos repentirs. Leur lente métamorphose magnifie ou déprécie l'original qui, de moins en moins fidèle à son objet, nous reflète de plus en plus.

Les Sonnets *de Shakespeare forment une suite de confidences amoureuses. Ici, le portrait du destinataire épouse celui de son auteur.*

Mon œil a joué au peintre et il a gravé la forme de tes beautés sur la table de mon cœur; mon corps est le cadre en quoi c'est conservé, et perspective est le plus grand art du peintre.

Car à travers le peintre on peut voir son adresse, trouver où réside la vraie image peinte, laquelle est accrochée en la boutique de mon sein dont les fenêtres ont pour vitres tes yeux.

Vois donc quelle faveur les yeux ont faite aux yeux : mes yeux ont dessiné ta forme, et les tiens se sont faits fenêtres de mon sein, à travers quoi le soleil s'amuse à percer pour te contempler.

Pourtant aux yeux manque la science qui parfait l'art, dessinant ce qu'ils voient, ils ne savent le cœur.

William Shakespeare
«Sonnet XXIV»
Traduction de Pierre-Jean Jouve
Gallimard

Suite à son entrevue avec Charles X, en exil à Prague, Chateaubriand évoque les sites traversés lors de son retour en France. Toile de fond à la narration, le paysage sert d'ébauche à la rêverie.

De Dunkeim à Frankenstein, la route se faufile dans un vallon si resserré qu'il garde à peine la voie d'une voiture; les arbres descendant de deux talus opposés se joignent et s'embrassent dans la ravine. Entre la Messénie et l'Arcadie, j'ai suivi des vallons semblables, au beau chemin près : Pan n'entendait rien aux ponts et chaussées. Des genêts en fleurs et un geai m'ont reporté au souvenir de la Bretagne; je me souviens du plaisir que me fit le cri de cet oiseau dans les montagnes de Judée. Ma mémoire est un panorama; là, viennent se peindre sur la même toile les sites et les cieux les plus divers avec leur soleil brûlant ou leur horizon brumeux.

Chateaubriand,
Mémoires d'outre-tombe

L'amour conçu pour une femme de théâtre se révèle être une méprise. L'actrice est la doublure fantasmée d'une autre femme dont l'image resurgit peu à peu dans la mémoire de Nerval.

Tout m'était expliqué par ce souvenir à demi rêvé. Cet amour vague et sans espoir, conçu pour une femme de théâtre, qui tous les soirs me prenait à l'heure du spectacle, pour ne me quitter qu'à l'heure du sommeil, avait son germe dans le souvenir d'Adrienne, fleur de la nuit éclose à la pâle clarté de la lune, fantôme rose et blond glissant sur l'herbe verte à demi baignée de blanches vapeurs. – La ressemblance d'une figure oubliée depuis des années se dessinait désormais avec une netteté singulière; c'était un crayon estompé par le temps qui se faisait peinture, comme ces vieux croquis de maîtres admirés dans un musée, dont on retrouve ailleurs l'original éblouissant.

Gérard de Nerval,
«Sylvie», *Les Filles du feu*

Peint par Hallward, le portrait de Dorian Gray se métamorphose au fil des ans. Tandis que le modèle reste en apparence jeune et vertueux, l'image peinte vieillit et s'enlaidit. Reflet de ses vices cachés, elle devient l'emblème visible de sa conscience.

Il se laissa tomber dans un fauteuil, et se mit à réfléchir. En un éclair il se rappela soudain ce qu'il avait dit dans l'atelier

A la manière d'Arcimboldo, tête composée d'hommes par Utagawa Kuniyoshi.

de Basil Hallward le jour de l'achèvement du portrait. Oui, il se le rappelait parfaitement. Il avait exprimé un vœu insensé : que lui-même pût rester jeune et le portrait vieillir; que sa beauté à lui échappât à toute flétrissure et que le visage fixé sur la toile portât le fardeau de ses passions et de ses péchés; que l'image peinte fût marquée des rides de la souffrance et de la méditation mais que lui conservât l'éclat délicat, le charme et la beauté de son adolescence alors à peine consciente d'elle-même. Se pouvait-il que son vœu eût été exaucé? De pareilles choses étaient impossibles. Il paraissait monstrueux de simplement y songer. Et pourtant, le portrait était là, sous ses yeux, avec, sur la bouche, la touche de cruauté.

Oscar Wilde,
Le Portrait de Dorian Gray

Le piège de la fuite

Dans Les Ménines *de Vélasquez, la construction perspective se double aux yeux du spectateur d'une construction apparente qui ne coïncide pas exactement avec la première. Cette ruse subtile, qui déplace le centre du tableau d'une porte vers un miroir, est un véritable stratagème pour convoquer notre imagination au cœur de la peinture.*

Dans ce tableau, Vélasquez s'est représenté lui-même dans son atelier en train de peindre. Palette et pinceau à la main, il jette un coup d'œil sur son modèle. Mais le sujet qu'il peint est invisible. Situé hors du tableau, il occupe précisément la place que nous occupons. Et nous ne saurions pas ce que regarde Vélasquez si un miroir, situé au fond de l'atelier, ne venait capter comme par enchantement l'image du couple royal dont il tire le portrait.

Spectateurs, nous sommes les modèles de Vélasquez. Posant et immobiles, nous regardons l'Infante entourée de ses servantes et de ses bouffons, qui à leur tour nous regardent. Nous jouissons du spectacle offert par le chatoiement des robes, le soyeux des étoffes. Mais derrière ce foisonnement de courbes et de couleurs, derrière cette profusion de luxe qui scintille au premier plan, l'ordre règne, simple mais précis : un réseau

le lignes droites dessine le cadre géométrique de la scène. Le décor est présent sans être montré. Quelques lignes fuyantes suggèrent la profondeur de la pièce. Et dans la demi-obscurité qui la referme, seule échappée visible : cette porte ouverte dans l'embrasure de laquelle se tient la silhouette d'un visiteur. Le visage tourné vers nous, il regarde depuis la profondeur du tableau ce que nous voyons de face. Tout comme le peintre, il fixe ce point invisible où nous sommes.

Immanquablement notre regard revient au miroir. En lui est scellée l'intrigue du tableau. Image d'autant plus énigmatique qu'elle ne renvoie qu'à l'absence des modèles. Cette manière que Vélasquez a de faire surgir le roi et la reine dans une glace alors que la toile où il s'emploie à les représenter est en cours d'exécution, cet empressement à les servir serait sans doute une grossière flatterie, si un piège dû à la composition du tableau n'en laissait supposer l'ironie.

L'analyse du tableau réserve en effet une surprise. Sa construction apparente ne coïncide pas exactement avec sa construction perspective. Par un écart calculé entre les deux, Vélasquez déploie un véritable stratagème pour convoquer notre imagination au cœur de la peinture. Nous ne sommes pas face au miroir, mais face à la porte. Et le reflet dans lequel nous croyons saisir directement notre propre image n'échappe qu'en apparence au peintre : le miroir reflète l'endroit de la grande toile dont nous n'apercevons que le revers.

Le miroir montre ce qui est peint.

Si l'analyse détermine la place précise que nous occupons devant le tableau, les quelques repères qui structurent l'espace de la pièce sont trop peu manifestes pour

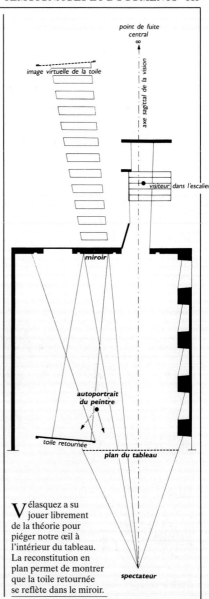

Vélasquez a su jouer librement de la théorie pour piéger notre œil à l'intérieur du tableau. La reconstitution en plan permet de montrer que la toile retournée se reflète dans le miroir.

conduire notre regard à adopter ce point de vue théoriquement idéal. A l'encontre de la perspective, toute la composition du tableau privilégie le miroir aux dépens de la porte et nous invite à prendre imaginairement la place des modèles dont on tire le portrait. Il n'y a pas jusqu'au rideau que repousse d'une main le visiteur dans l'escalier qui ne renvoie à celui que surplombe le couple royal. Le geste suggère ici le passage de l'un à l'autre. D'un côté le visiteur qui dévoile, de l'autre les modèles dévoilés.

Face à la porte ou face au miroir ? L'ambiguïté du tableau, son double jeu, nous renvoie à notre propre incertitude sur la place que nous occupons : place d'autant plus symbolique qu'elle est ici la place des souverains. Contrairement à la peinture depuis la Renaissance qui s'attachait à travers la perspective à fixer la place du spectateur en un point précis devant la toile, le tableau des *Ménines* cherche à rendre cette place instable. Mais il ne contourne la règle qu'en s'y soumettant. C'est au prix de la plus rigoureuse construction que le tableau échappe à la rationalité et creuse un espace dont la séduction n'est plus seulement illusioniste.

Le tableau dévoile l'artifice. Nous voyons l'envers du décor, les coulisses de la peinture.

En montrant les cadres, le châssis, la grande toile retournée visible par sa tranche – c'est-à-dire la platitude de tout tableau –, celui des *Ménines* nous montre cette profondeur perdue. Et en nous la montrant le tableau accède aussitôt à une autre profondeur. Non pas la restitution de l'espace dans sa seule dimension géométrique comme le ferait un simple miroir, mais selon une dimension plus abstraite, plus essentielle surtout – une dimension qui est le regard du peintre, sa vision du monde : le sujet même de la peinture.

Philippe Comar
in *Opus International*
janvier 198.

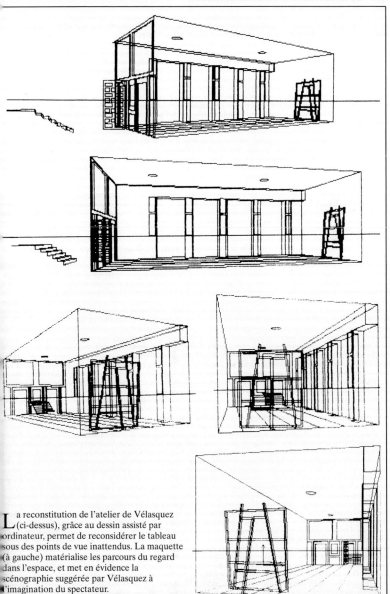

La reconstitution de l'atelier de Vélasquez (ci-dessus), grâce au dessin assisté par ordinateur, permet de reconsidérer le tableau sous des points de vue inattendus. La maquette (à gauche) matérialise les parcours du regard dans l'espace, et met en évidence la scénographie suggérée par Vélasquez à l'imagination du spectateur.

Exercices selon les règles de la géométrie descriptive à l'Ecole polytechnique au XIXᵉ siècle.

DE LA PERSPECTIVE À LA GÉOMÉTRIE PROJECTIVE

Principaux traités du XVᵉ au XIXᵉ siècle

– Filippo Brunelleschi (1377-1446), Description
des expériences faites vers 1415 :
par Antonio Manetti, *La Vita di Brunelleschi*
republié, catalogue C.E.R.A., Paris, 1979;
par Giorgio Vasari, *Les Vies d'artistes*, republié,
Berger-Levrault, tome 3, Paris, 1987.
– Leon Battista Alberti (1404-1472), *De Pictura*,
1435, éd. française, Macula-Dédale, Paris, 1992.
– Piero della Francesca (1415-1492),
De Prospectiva Pingendi, v. 1465, fac-similé,
G. Nicco Fasola, Editions Sansoni, Florence,
1942.
– Léonard de Vinci (1452-1519), *Les Carnets
de Léonard de Vinci*, v. 1500, édition récente,
Gallimard, Paris, 1987.
– Jean Pélerin Viator (1435-1524), *De Artificiali
Perspectiva*, Toul, 1505, fac-similé, J. Laget,
Paris, 1978.
– Albert Dürer (1471-1528), *Underweysung der
Messung*, Nuremberg, 1525, fac-similé, Albaris
Books, New York, 1977.
– Jacomo Barozzi Vignole (1507-1573),
Le Due Regole della prospettiva, v. 1530,
édition posthume par I. Danti, Rome, 1583.
– Sebastiano Serlio (1475-1554), *Regole
generali di architettura*, livre II, Paris, 1545.
– Jean Cousin (1490-1560), *Livre de perspective*,
Paris, 1560; *Livre de portraiture*, Paris, 1571,
fac-similé, Editions Inter-livres, Paris, 1987.
– Daniel Barbaro (1513-1570), *Pratica della
prospettiva*, Venise, 1568.
– Wentzel Jamnitzer (1508-1585), *Perspectiva
corporum regularium*, Nuremberg, 1568,
fac-similé, Gutenberg Editions, Paris, 1981.
– J. Androuet du Cerceau (1510-1585),
Leçons de perspective positive, Paris, 1576.
– Lorenzo Sirigatti (?-1596), *La Pratica
di prospettiva*, Venise, 1596.
– Guidobaldo del Monte (1545-1609),
Perspectivae libri sex, Pesaro 1600, fac-similé,
Erma di Bretschneider Editions, Rome, 1984.
– J. Vredeman de Vries (1527-1604), *Perspectiva*,
Leyde, 1604, fac-similé, Dover, New York, 1968.
– Simon Stevin (1548-1620), *De Perspectivis*,
Leyde, 1605.
– Salomon de Caus (1567-1626), *La Perspective
avec la raison des ombres*, Londres, 1612.
– Samuel Marolois (1572-1627), *Œuvres
mathématiques, traitant de géométrie, perspective,
architecture et fortification*, La Haye, 1614.

– J.-L. de Vaulezard, *Perspective cylindrique et
conique, ou traité des apparences*, Paris, 1630.
– Girard Desargues (1591-1661), *Exemple de
l'une des manières universelles du S.G.D.L.*,
Paris, 1636, Brouillon Project, Paris, 1639.
– Jean-François Niceron (1613-1646),
*La Perspective curieuse, ou magie artificielle
des effets merveilleux*, Paris, 1638.
– Abraham Bosse (1602-1676), *Manière
universelle de M. Desargues*, Paris, 1647.
– Jean Du Breuil (1602-1670), *La Perspective
pratique nécessaire à tous peintres*, Paris,
1642-1648.
– Grégoire Huret (1610-1680), *Optique
de portraiture et peinture en deux parties*,
Paris, 1670.
– Guilio Troili (1613-1685), *Parodossi
per praticare la prospettiva senza saperla*,
Bologne, 1672.
– Andrea Pozzo (1642-1709), *Perspectiva
pictorum et architectorum*, Rome, 1693.
– Brook Taylor (1685-1731), *New Principles
of Linear Perspective*, Londres, 1715.
– Jean Henri Lambert (1728-1777),
*La Perspective affranchie de l'embarras du plan
géométral*, Zurich, 1759, fac-similé, Editions
A. Brieux, Paris, 1977; *Essai sur la perspective*,
1752, réédition Monom, Coubron, 1981.
– Gaspard Monge (1746-1818), *Géométrie
descriptive*, Paris, 1798.
– Jean Victor Poncelet (1788-1867), *Traité des
propriétés projectives des figures*, Paris, 1822.

BIBLIOGRAPHIE

Ouvrages généraux

Erwin Panofsky, *La Perspective comme forme symbolique*, 1932, Minuit, Paris, 1978.

A. Flocon, R. Taton, *La Perspective*, «Que sais-je?» n° 1050, P.U.F., Paris, 1963.

Lawrence Wright, *Perspective in Perspective*, Routledge & Kegan Paul, Londres, 1983.

Hubert Damisch, *L'Origine de la perspective*, Flammarion, Paris, 1987.

Jurgis Baltrusaitis, *Anamorphoses, les perspectives dépravées*, Flammarion, Paris, 1984.

Henri Focillon, *La Vie des formes*, P.U.F., Paris, 1981.

E. H. Gombrich, *L'Art et l'illusion*, Gallimard, Paris, 1971.

Pierre Francastel, *La Figure et le lieu*, Gallimard, Paris, 1967.

Robert Klein, *La Forme et l'intelligible*, Gallimard, Paris, 1970.

Pierre Descargues, *Traités de perspective*, Éditions du Chêne, Paris, 1976.

Miriam Milman, *Architectures peintes en trompe-l'œil*, Skira, Genève, 1986.

Roger Caillois, *Images, images...*, Gallimard, Paris, 1987.

Louis Marin, *Opacité de la peinture*, Éditions Usher, Paris, 1989.

Martin Kemp, *The Science of Art*, Yale University Press, 1992.

Ouvrages mathématiques et techniques

Noël Germinal Poudra, *Histoire de la perspective ancienne et moderne*, Paris, 1864.

Paul Rossier, *Perspective*, «Bibliothèque scientifique», Éditions du Griffon, Neuchâtel, 1946.

Maurice Emanaud, *Géométrie perspective*, Gaston Doin Editeur, Paris, 1921.

D. Hilbert, S. Cohn-Vossen, *Geometry and the Imagination*, Chelsea Publishing Company, New York, 1983.

A. Gheorghiu, Dragomir, *La Représentation des structures constructives*, Eyrolles, Paris, 1968.

J.-J. Pillet, *Traité de perspective linéaire précédé du tracé des ombres usuelles*, Librairie philosophique J. Vrin, Paris, 1953.

A. Barre, A. Flocon, *La Perspective curviligne*, Flammarion, Paris, 1968.

René Taton, *L'Œuvre mathématique de Desargues*, Librairie J. Vrin, Paris, 1981.

– Liliane Brion-Guerry, *Jean Pélerin Viator, sa place dans l'histoire de la perspective*, Éditions des Belles-Lettres, Paris, 1962.

– R. Laurent, J. Peiffer, *La Place de J. H. Lambert dans l'histoire de la perspective*, Nathan, Paris, 1987.

– Jean Aubert, *Cours de dessin d'architecture à partir de la géométrie descriptive*, Éditions de La Villette, 1982.

– Eric Jantzen, *Traité pratique de perspective*, Éditions de La Villette, 1983.

Etudes

– D. Bessot, J.-P. Le Goff, *Les Cahiers de la perspective*, n° 1 à 5, I.R.E.M., Caen, 1987-1991.

– A. Bonfand, G. Labrot, J.-L. Marion, *Trois Essais sur la perspective*, Éditions de la Différence, Paris, 1985.

– *L'Imitation, aliénation ou source de liberté*, Rencontres de l'Ecole du Louvre, La Documentation française, Paris, 1985.

– Nathalie Heinich, *La Perspective académique*, Actes de la recherche en sciences sociales, n° 49, Paris, 1987.

– Adolphe Reinach, *Textes grecs et latins relatifs à l'histoire de la peinture ancienne*, Éditions Macula, Paris, 1985.

– C. Guipaud, *Création d'un modèle géométrique dans les six livres de perspective de Guidobaldo del Monte*, Aspects de la recherche, 1987.

– André Chastel, *La Cité dans le bois*, F. M. R. n° 8, juin 1987.

– Catalogue d'exposition, *La Vie, la fortune, l'œuvre de Filippo Brunelleschi*, C.E.R.A., Paris, 1979.

– Catalogue d'exposition, *L'Image en architecture, les machines à dessiner*, Atelier du Patrimoine de la Ville de Marseille, 1984.

– L. Vagnetti, *Prospetiva* (bibliographie quasi exhaustive des ouvrages sur la perspective des origines à nos jours), Studi e documenti di architettura, n° 9-10, Florence, 1979.

– Jacques Lacan, *Du regard...*, «Le Séminaire», Livre XI, Éditions du Seuil, Paris, 1973.

TABLE DES ILLUSTRATIONS

74h *Projection Werner,* in *Mapping,* D. Greenhood, Chicago, 1964.
74b Dessin d'enfant, in *Gribouillages et dessins d'enfants,* H. Gardner.
75 *La Cène,* miniature syriaque. Londres, British Library.
76-77 Frédéric Martens, *Panorama de Paris,* photographie. Paris, Société française de photographie.
77h Paolo Uccello, *Bataille de San Romano.* Paris, musée du Louvre.
77b E. J. Marey, *Le Coup d'épée,* photographie, 1890. Paris, Cinémathèque française.

CHAPITRE V

78 René Magritte, *La Trahison des images,* peinture, 1929. Los Angeles, County Museum of Art.
79 Robert Fludd, *Ars memoriae,* gravure, 1629.
80 Andrea Mantegna, *Saint Sébastien,* détails. Vienne, Kunsthistorisches Museum.
81 Salvador Dali, *Visage paranoïaque,* paru dans *Le Surréalisme au service de la révolution,* 1931. Paris, Musée national d'Art moderne.
82 *Dames dans le jardin d'un palais,* gouache, v. 1760. Paris, Bibliothèque nationale.
83h Don Mackey, *Objet impossible,* paru in *Skywriter,* 1966.
83b Cuirassé pendant

la Seconde Guerre mondiale, photographie.
84 Henry Guédy, illustration pour *Le Professorat de dessin,* Paris.
85h Robert Fludd, *Tractatus de naturae,* gravure, 1618.
85b Piet Mondrian, *Composition avec rouge, jaune et bleu.* Londres, Tate Gallery.
86-87 Winsor Mc Cay, «Little Nemo in Slumberland», *New York Herald,* 1908.
87g *Bolet,* photographie P. Comar.
87d *Bolet,* illustration J. Poinsot.
88 P. Comar, *Maquette en rétroperspective,* photographies Olivier Garros. Paris, Cité des Sciences et de l'Industrie.
89 *Relief.* Paris, Institut géographique national.
90-91 P. Comar, *Salle à double perspective,* maquette et dessins préparatoires, photographies Patrick Astier. Paris, Cité des Sciences et de l'Industrie.
92-93 Ehrard Schön, *Vexierbild,* gravure. Berlin, Staatliche Museen.
93 P. Comar, *Escalier impossible,* maquette, photographies Olivier Garros. Paris, Cité des Sciences et de l'Industrie.
94h Hans Holbein, *Les Ambassadeurs,* ensemble et détail. Londres, National Gallery.
94b René Magritte, *La Trahison des*

images, dessin, 1952.
95 Hergé, *Tintin et les Picaros,* Casterman.
96 Giorgio de Chirico, *La Sérénité de l'étudiant,* peinture, 1914. New York, collection S. et J. Slifka.

TÉMOIGNAGES ET DOCUMENTS

97 Piero della Francesca, *De Prospectiva pingendi.* Parme, Bibliothèque Palatine.
99 *Vue d'architecture,* fresque d'une villa d'Oplontis, Italie.
100 A. Parronchi. Reconstitution du second tableau de Brunelleschi.
102 Léonard de Vinci, *Principes de la perspective,* manuscrit.
103 Léonard de Vinci, *La Paroi de verre,* dessin. Milan, Bibliothèque Ambrosienne.
104 Vignola et Danti, illustration pour *Pratica della prospectiva,* Rome, 1583.
105 Albrecht Dürer, *Perspectographes,* gravures in *Underweysung der Messung,* 1525.
106 *Chambre obscure,* article «Dessin» de l'*Encyclopédie* de Diderot et d'Alembert.
107 Jean Henri Lambert, *Essai sur la perspective,* Bâle, 1752.
108 Jean Du Breuil, *La Perspective pratique,* gravure, 1663.
109 Grégoire Huret, *Optique de portraiture,* Paris, 1670.

110 Le peintre Dagnan-Bouveret dans son atelier, photographie, XIXe s.
111 Alfred Sisley, *Le Pont de Morey,* peinture. Paris, musée d'Orsay.
112 Salomon de Caus, *La Perspective avec la raison des ombres..* Londres, 1612.
113 Utagawa Kuniyoshi, *Tête composée d'hommes,* XIXe s. Gênes, musée d'Art oriental.
114 Vélasquez, *Les Ménines,* peinture. Madrid, musée du Prado.
115 *Le Plan des Ménines,* dessin P. Comar.
116 P. Comar, *Les Ménines,* maquette. Paris, Musée national d'Art moderne.
117 P. Comar, *Simulation sur ordinateur de l'atelier de Vélasquez* pour le film *Vélasquez, stratégie pour un spectateur* de Didier K. Baussy.
118-119 Dalesme, Exercices selon les règles de la géométrie descriptive. Archives Bibliothèque de l'Ecole polytechnique.
120 Jamnitzer, illustration de *Perspectiva…,* 1568. Paris, Bibliothèque nationale.
127 Jean Cousin, *Particularités des jambes et cuisses raccourcies,* in *Livre de portraiture,* 1571. Paris, Ecole nationale supérieure des Beaux-Arts.

INDEX

Particularitez des Jambes & Cuiſſes racourcies.

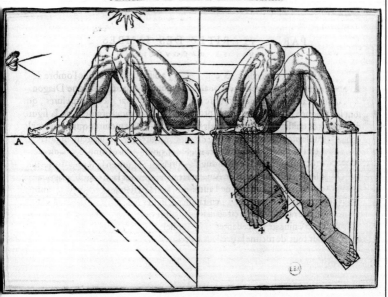

CRÉDITS PHOTOGRAPHIQUES

Agence Top/E. Bright, Paris 99. Artephot, Paris 22-23, 64. Bibliothèque nationale, Paris Dos, 11, 3b, 18-19b, 45, 46, 52, 54, 54-55, 57, 59, 65, 66, 82, 109, 120. British Film Institute/Department of Stills, Posters and Designs, Londres 72. Caisse nationale des Monuments historiques, Paris, © Cadem 17. Cordon Art, Baarn 25. Dagli Orti, Paris 53. Droits réservés 14, 15h, 16h, 16b, 18-19h, 19, 20, 21h, 23, 24, 24-25, 26, 26-27, 27, 32, 32-33, 34-35, 38, 39h, 44h, 44b, 47h, 47b, 48, 50g, 50d, 51b, 58, 58-59, 60h, 60b, 61, 63, 67, 68-69, 70, 74h, 74b, 75, 77b, 79, 80, 83h, 83b, 84, 85h, 86-87, 87, 88, 90-91, 94b, 95, 100, 102, 103, 106, 107, 108, 112, 113, 114, 115, 116, 117, 118-119. Ecole nationale supérieure des Beaux-Arts, Paris 12, 29, 41d, 73, 104, 105, 127. Fondation Le Corbusier, Paris 62-63. Gemeentemuseum, La Haye 71. Giraudon, Paris 21b, 78. Institut géographique national, Paris 72-73, 89. Jean Vigne, Paris 110. Martin von Wagner Museum, Würzburg 56. Musée de Bâle/Hans Hinz 42. Musée national d'Art moderne, Paris 15b, 81. Museum of Modern Art, New York 96. National Gallery, Londres 42-43, 68, 94h. Réunion des Musées nationaux, Paris 31, 49, 77h, 111. Scala, Florence 1 à 7, 4e plat de couverture, 28, 30, 36h, 37h, 37b, 40, 41g, 51h, 97. Société française de Photographie, Paris 76-77. Staatliche Museen, Berlin 39b, 92-93. Tate Gallery, Londres 85b. The Menil Collection/Hickey and Robertson, Houston 9. Toshodaï-ji 56-57. Valérie Béon 8. Victoria and Albert Museum, Londres 1er plat de couverture, 10.

COLLABORATEURS EXTÉRIEURS

Lecture-correction : Max de Carvalho.
Maquette et montage P.A.O. des Témoignages et Documents : Dominique Guillaumin.

Table des matières